ART ESSENTIALS

AFRIKANISCHE KUNST

ART ESSENTIALS

AFRIKANISCHE KUNST

SUZANNE PRESTON BLIER

MIDAS

INHALT

EINFÜHRUNG

Afrika ist ein großer, reicher und vielfältiger Kontinent, der in seiner langen Historie bemerkenswerte Kunst hervorgebracht hat. Diese Kunstwerke erzählen eine spannende Geschichte, für die es oft keine schriftlichen Quellen gibt, die uns helfen würden, die Wurzeln und historischen Entwicklungen des Kontinents besser zu verstehen. Dieses Buch ist der erste chronologische kunstgeschichtliche Überblick über das ganze Afrika: antike, mittelalterliche, früh-neuzeitliche, historisch überlieferte, koloniale und zeitgenössische Kunst. Auch heute noch wird Afrika allzu oft als unwichtig abgetan. Die afrikanische Kunst bietet ein ganz anderes Narrativ, trotz der beträchtlichen Lücken für manche Gegenden und Zeiträume. Diese Werke vermitteln die Schönheit, Besonderheit und Komplexität der langen Geschichte des Kontinents und zeigen, wie wichtig die Bewahrung der materiellen Überlieferung Afrikas ist.

Bei der Betrachtung des gesamten Kontinents ist es wichtig zu betonen, wie viele Gemeinsamkeiten es tatsächlich gibt – die Sprachen, die kulturelle Dynamik und sogar die Genetik. Die künstlerischen Wurzeln des Kontinents sind vielgestaltig, zeigen aber auch komplexe Überschneidungen und Bindungen, die unser Verständnis von afrikanischen Kulturen und

Historien erweitern. Früher wurde das Niltal (und Ägypten im Allgemeinen) in kunsthistorischen Diskussionen oft vom Rest des Kontinents getrennt. Das ändert sich allmählich. Ägypter sprachen lange eine afroasiatische Sprache, die zur selben Sprachfamilie gehörte wie die Sprachen der Libyer, Nubier, der Tschad-Gruppen, vieler Kenianer und Westasiaten. In weiten Teilen Zentralafrikas und Ostafrikas werden Sprachen des Bantu-Clusters gesprochen, die aus dem Grenzgebiet zwischen Nigeria und Kamerun stammen. Bevölkerungsbewegungen und genetische Muster legen ähnliche Überkreuzungen nahe. 10.000 v. Chr. besaßen Mauretanier und Ägypter eine ähnliche DNA. Ägyptische DNA enthält neben Markern der Berber-, nahöstlichen und Mittelmeervölker mehr als 20% Marker aus dem Afrika südlich der Sahara. Wissenschaftler sehen kaum eine Trennung zwischen ägyptischer und nubischer DNA. Die größten westasiatischen Indikatoren in Ägypten findet man im Nildelta. Sie nehmen ab, je weiter man nach Süden geht. Mediterrane Elemente kommen hier relativ spät an. Auch die Nubier haben eine vielfältige Herkunft: Ihre DNA ist eine Mischung aus Subsahara-afrikanischen und westeuropäischen Komponenten. Afrikanische Zivilisationen haben sich oft bemüht, diese Verbindungen in ihrer Kunst zu nutzen.

AFRIKANISCHE KUNST ERLEBEN: EIN ÜBERBLICK

-

Die Nacht hat Ohren.

-

Sprichwort der Massai

ANDALUSIEN
Sevilla
Cordoba
Granada
Tunis
Numidien
Fès
Essaouira
Ait Benhaddou
Berber
FATIMIDEN/MAMLUKEN
GARAMANTEN
Tassili-Gebirge
Tadrart
Berber
ALMORAVIDEN/
ALMOHADEN
Berber
Alexandria
Jerusalem
Kairo
Gizeh
FATIMIDEN/MAMLUKEN
Elephantine
Nabta Playa
KUSCH/NUBIEN
Faras
Nil
Banganarti
Meroë
Mekka
AKSUM
Gonder
Lalibela
Tanasee
ZAGWE
Horn vo
Afrika
Timbuktu
Dogon/Tellem
Tuareg
Senegal
Niger
Gao
Toucouleur
MALI
SONGHAI
Fulani
Fulani
Bamana
Boso
Djenné
Batammaliba
BORNU
KANEM-BORNU
HAUSA
NOK
Kano
Tschadsee
Tada
Igala
Benue
Igbo
YORUBA
Ife
Bamun
Boki/Ejagham
Dakar
ASCHANTI/AKAN
Baga/Mende
DAHOMEY/FON
Abomey/Allada
Igbo Ukwu
Benin City
Kongo
Kota
Batwa
Fang
Massai
Lamu
KUBA
Sansibar
Olduvai
gorge
LUBA
KONGO
CHOKWE
Kilwa
LUNDA
Lubumbashi
SWAHILI
ATLANTISCHER
OZEAN
Sambesi
MAPUNGUBWE
SIMBABWE
Groß-Simbabwe
Khoisan
Limpopo
Lydenburg
Johannesburg
ZULU
Kapstadt
Blombos
INDISCHER OZEAN
N
Orte
Nichtkönigliche
Gruppen
Königliche Gruppen/
Reiche
0
500
1.000 Meilen
0
1.000
2.000 Kilomet

Anonymer Kartenhersteller
Hauptroute der Entdecker, 1883
Alter Kartenstich
Veröffentlicht in *The Universal Geography* von Élisée Reclus, London, 1878

Solche Karten zeigen, wie wichtig die Ost-West- sowie die Nord-Süd-Handelsnetzwerke waren, auch wenn diese Karten nur einen unvollständigen Blick auf die gegenwärtigen und historischen Orte bieten. Hier fehlen die Handelswege an den wichtigen Flusssystemen in den stärker bewaldeten Gebieten West- und Zentralafrikas.

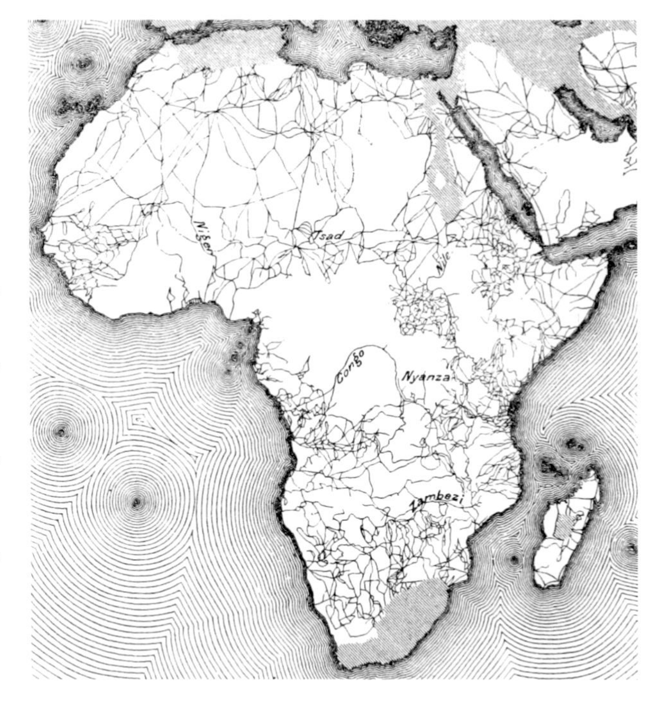

Karte von Afrika mit wichtigen Orten, Gruppen und Reichen, auf die im Text Bezug genommen wird.

Ursprung und Bedeutung des Wortes »Afrika« sind umstritten, lassen sich aber möglicherweise von dem römischen Begriff für die nordafrikanische Berber-Kultur, *Afri* (Aourigha) oder dem lateinischen Wort *aprica*, sonnig, herleiten.

Der Handel spielte in der afrikanischen Kunstgeschichte eine wichtige Rolle, da er die Kreativität in Kulturen auf dem ganzen Kontinent stärkte und begünstigte (gegenüber). Die Menschen folgten meist den lange bestehenden, kontinentweiten Handelsnetzen (oben). Manchmal entstanden überregionale Kunst- und Kulturformen sowie Verkehrssprachen. Dazu gehören u. a. Mande und Hausa (westafrikanische Savanne), Swahili (Küste Ostafrikas) und Bantu (Zentralafrika). Berbervölker gründeten mit der Ausbreitung des Islam neue Handelszentren in Nordafrika und Andalusien. Als Europa sich um 1300 dem Goldstandard zuwandte, wurde Afrika noch wichtiger, da die reichsten Goldfelder südlich von Mali im heutigen Ghana und Guinea zu finden waren.

Afrikas Bedeutung als globales Handelsnetzwerk zeigt der Katalanische Weltatlas von Abraham und Jehuda Cresques, Kartografen und Hersteller nautischer Instrumente auf Mallorca, aus dem Jahre 1375 (umseitig). Diese große Karte (hier nur teilweise abgebildet) enthielt die damals bekannte Welt – Europa, Afrika, den Nahen Osten und Asien – sowie die großen Handelsrouten zwischen Europa und den bekanntesten Zentren außerhalb des Kontinents. Der auf dieser Karte gezeigte Kankan Mansa Musa, Herrscher von Mali, ist der reichste Mensch, der jemals gelebt hat. Sein Ruhm

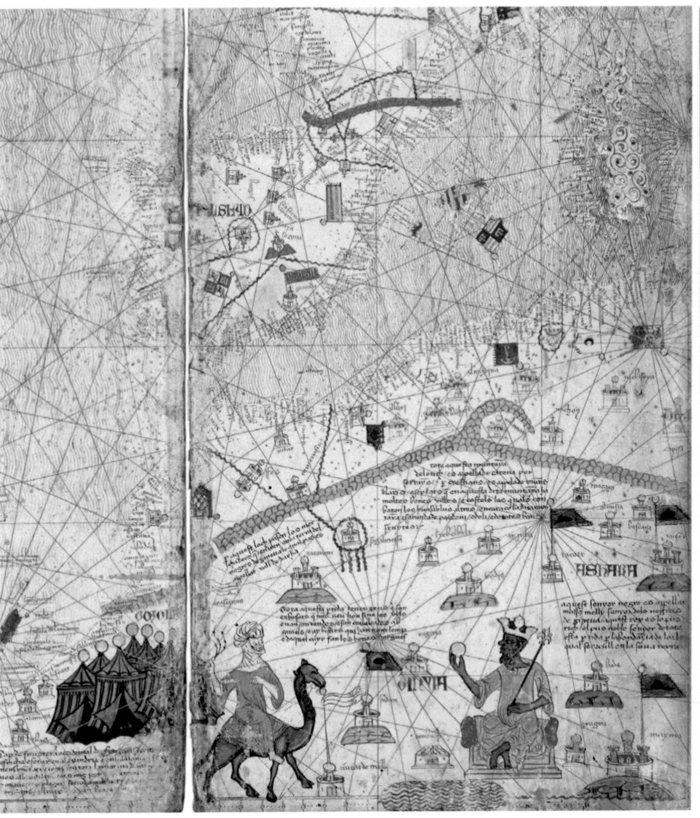

wuchs während seiner Pilgerfahrt 1325–1326, als er so viel Gold ausgab, dass es in den bereisten Gegenden zum ersten bekannten Währungsverfall der Geschichte kam.

Rechts von Mansa Musa ist ein dunkelblau gekleideter Herrscher zu sehen, vermutlich Oranyan, der Yoruba-König von Ife (Ile-Ife). Ife war in diesem Gebiet ein wichtiges Zentrum der Glasherstellung und des Handels. Ebenfalls auf der Karte abgebildet ist der christliche Herrscher Nubiens, gekleidet in Blassgrün. 1375 war die Macht des christlichen Nubien durch das Eingreifen des muslimischen Sultans von Kairo, der über dem nubischen Herrscher und neben dem (leuchtend roten) Roten Meer zu sehen ist, geschwunden. Turbane wie der des Oranyan wurden von koptischen Anführern und einheimischen Ife-Priestern getragen.

Im 1. Jahrhundert n. Chr. verbreitete sich in Ägypten das (koptische) Christentum und gehört somit zu den ältesten und wichtigsten christlichen Glaubensrichtungen der Welt. Angeblich wurde

Abraham und Jehuda Cresques
Katalanischer Atlas, 1375 (Detail)
Pergament, 64,5 x 25 cm
Bibliothèque nationale de France, Paris

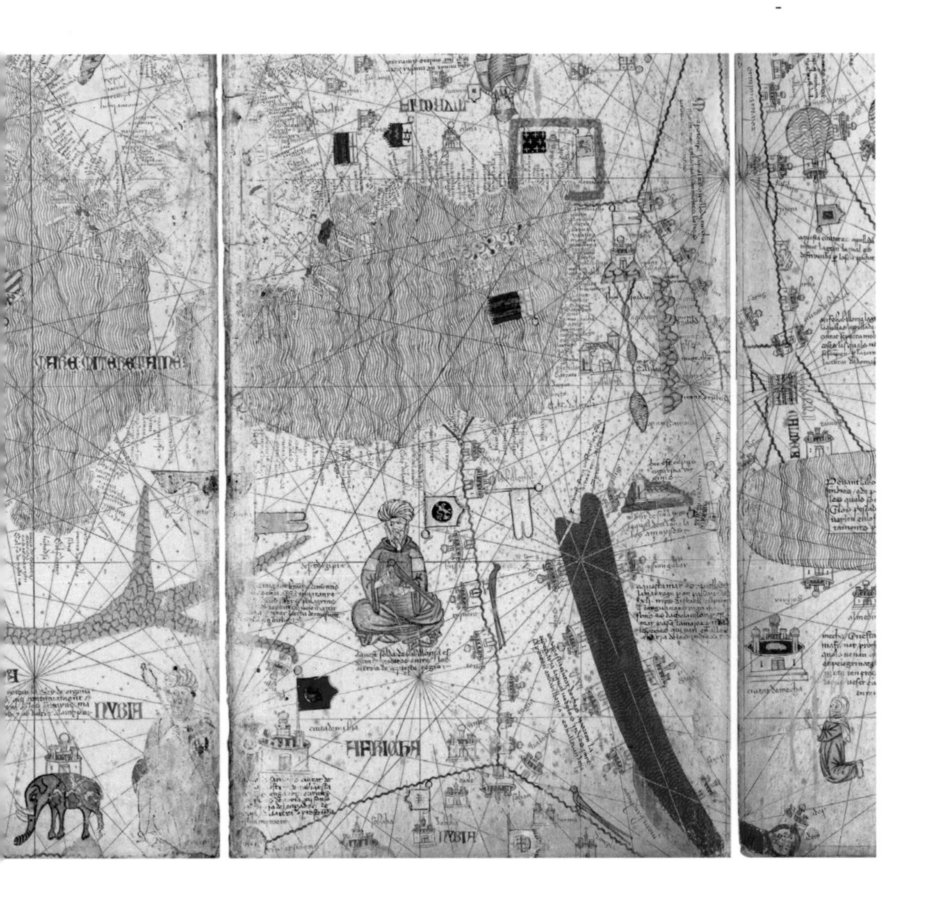

Der Herrscher von Mali, Mansa Musa, hält hier eine goldene Scheibe in der Hand – sein Reich besaß die Kontrolle über das westafrikanische Gold. Gegenüber dem König ist ein Tuareg auf einem Kamel. Dieses Volk kontrollierte die Sahara. Rechts sind die Könige von Ife, Nubien und Kairo zu sehen. Diese Karte erstreckt sich bis zur Mitte der westafrikanischen Waldzone, auch wenn spezifische Orte nur sehr allgemein dargestellt sind.

das Patriarchat von Alexandria im Jahre 42 durch den Evangelisten Markus begründet; um 300 war diese ägyptische Hafenstadt ein christliches Zentrum; ab dem 2. Jahrhundert verbreitete man hier neue Ideen (von anderen Christen »gnostisch« genannt) und folgte einheimischen Theologen aus Alexandria und den Oasenklöstern. Die Griechen nannten dieses Gebiet Aigyptoi, nach dem Ausdruck Hut-ka-Ptah, der sich auf den Tempel des Gottes Ptah in Memphis (heute Kairo) bezieht. In der spätrömischen Zeit traten viele ägyptische und nordafrikanische Berber-Gemeinschaften zum Christentum über. Nach der arabisch-islamischen Eroberung von 641 bezeichnete »Kopten« – eigentlich ein griechisches Wort für die Bewohner Ägyptens – speziell die ägyptischen Christen und ihre Sprache. Da der ägyptische Süden (Nubien) außerhalb des römischen Einflussbereiches lag, wurden dessen Bewohner zunächst keine Christen, sondern verehrten bis in das 4. Jahrhundert ägyptische Gottheiten (vor allem Isis). Schließlich spalteten sich die alexandrinische und die koptische

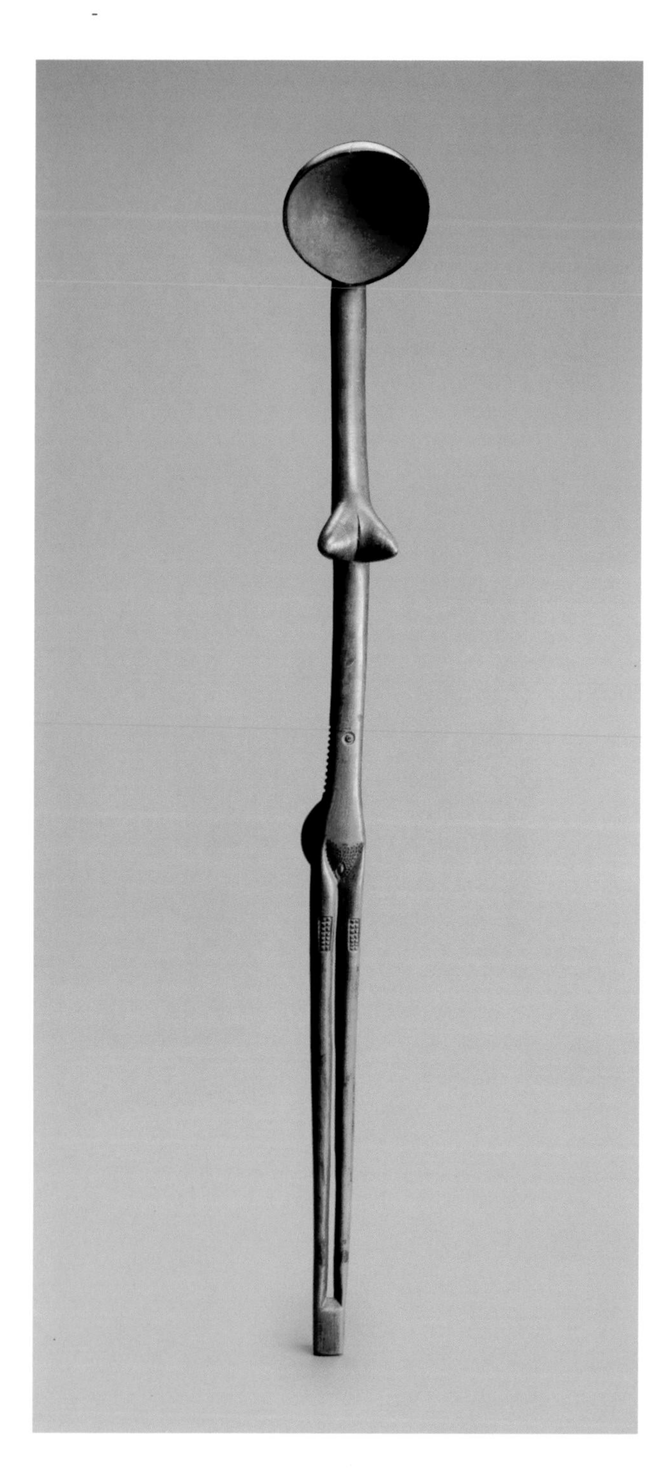

Zulu-Schnitzer
Ngoni/Zulu-Löffel
Südafrika,
19.–20. Jahrhundert
Holz, 54,5 x 7 x 7 cm
Pavillon des Sessions,
Musée du Louvre, Paris

Zulu-Löffel machen den Status kenntlich, während man Essen aus einer gemeinsamen Schüssel schöpft. Gäste brachten ihre eigenen Löffel mit; die Menschen wurden entsprechend ihrer Position und Familiengeschichte bedient, sodass die von den Ahnen überkommenen und gesellschaftlichen Verbindungen zwischen lebenden und verstorbenen Familienmitgliedern gestärkt wurden. Bunte, mit Perlen geschmückte Kleidungsstücke und aufwendiger Schmuck der Zulu kündeten ebenfalls von Alter, Status und Identität.

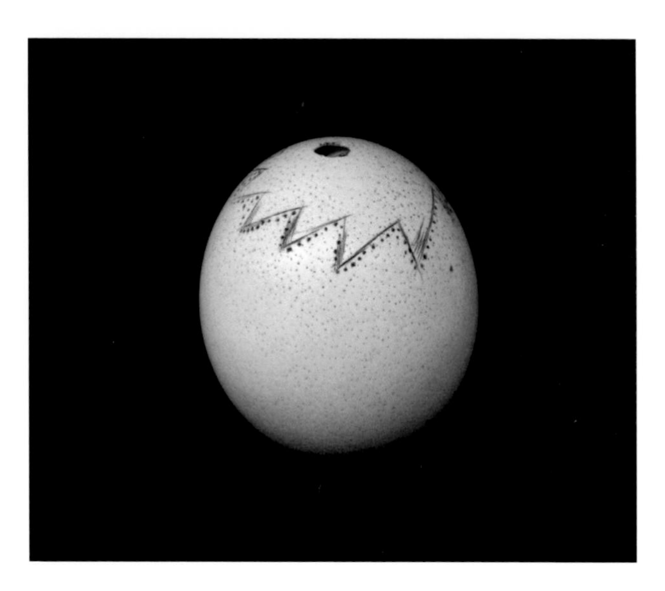

Khoisan-Völker
Dekoriertes Straußenei
Botswana,
20. Jahrhundert
Eierschale, Durchmesser
15 x 11,9 cm
Lam Museum of
Anthropology, Wake
Forest University,
Winston-Salem

Diese wunderschöne Arbeit hatte eine praktische Funktion als Wasserbehälter. Afrikanische Begriffe für Kunst sind ganz verschieden, ähneln aber oft den westlichen und bezeichnen eine »Fertigkeit«. In gewisser Weise haben alle Kunstwerke sowohl ästhetische als auch funktionale Werte. Objekte für den alltäglichen Einsatz, wie dieses, sind sowohl visuell ansprechend als auch funktional.

Kirche. Im 6. Jahrhundert wurde Nubien durch byzantinische Reisende missioniert, die in der monophysitischen Tradition standen. Dies verstärkte die Trennung der beiden Kirchen. Die lokale Bevölkerung prägte die neuen Religionen durch ihre eigenen kulturellen Praktiken, Vorstellungen und Künste.

Manche Gegenden Afrikas wurden von Nomaden bewohnt, wie die Kunst der Zulu (Südafrika), Turkana und Massai (Ostafrika) sowie Fulani und Tuareg (Westafrika) beweist. Dies waren Fischer- sowie Jäger/Sammler-Kulturen. Hirten suchten neue Weidegründe. Die Zulu wurden zu Rinderhaltern. Frauen spielten eine wichtige Rolle beim Hausbau, bei der Nahrungsbereitung und als Mütter. Dieser anthropomorphe Zulu-Holzlöffel weist eine reich stilisierte, aber dennoch verhaltene Ästhetik auf (gegenüber). Die Skulptur, die eine Frau darstellt, spielt mit runden (Gesicht, Brüste, Gesäß) und schlanken Formen (Hals, Körper, Beine) sowie kontrastierenden Elementen – konkav (Gesicht) und konvex (Brüste, Gesäß).

Zu den mobilen Bevölkerungsgruppen gehören auch einige der ältesten Populationen Afrikas – die Khoisan in Südafrika und die Mbuti, Baka und verwandte Völker in Zentralafrika. Die Khoisan schufen schön verzierte Wasserbehälter aus Straußeneiern (oben), von denen einige Muster aus der Natur aufweisen, wie die Spur eines Wurms oder einer Schlange. Die Mbuti und Baka, die heute in den Wäldern des Kongo leben, haben eine komplexe polyfone Musik. Mbuti und mit ihnen verwandte Gruppen tragen Kleidung aus bemalten Raphia-Textilien (umseitig).

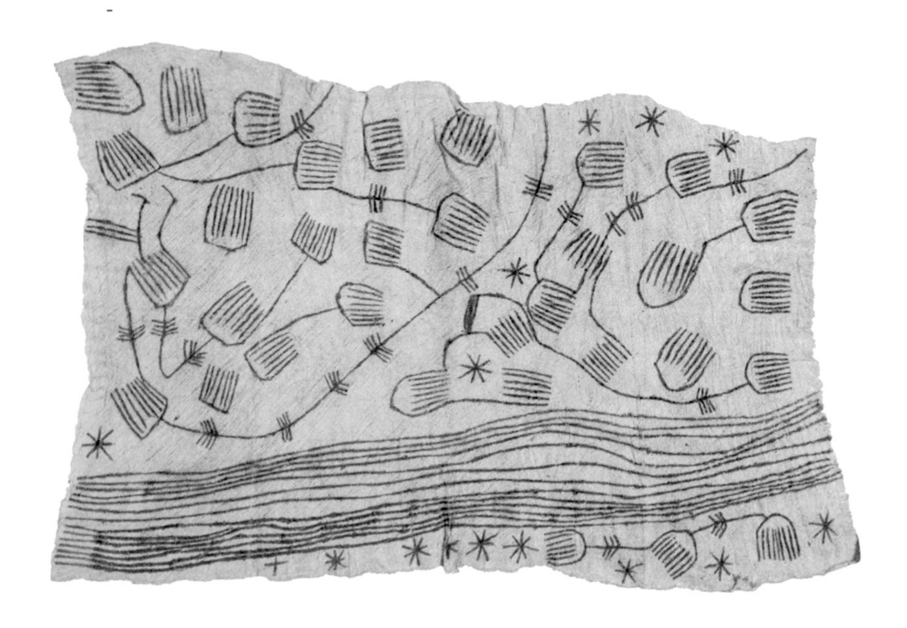

Mbuti- (Pygmäen-) Völker
Textilie
Republik Kongo,
20. Jahrhundert
Rindentuch,
80,7 x 48,3 cm
Minneapolis Institute of Art

Die auffällige Musterung passt zur Vorliebe der afrikanischen Kunst für dynamische Designs. Raphia-Stoffe der Mbuti zeigen meist Waldlandschaften und -fauna und erinnern an symbolische Karten. Oft sind die Darstellungen in einer Art Vogelperspektive und zeigen Ranken und Baumkronen, in denen man Vogeleier, Honig und frische Blätter sammelt.

Diese frühen indigenen Gruppen hatten einen besonderen rituellen Status als autochthone Bewohner mit einem tiefen Wissen über die natürliche und spirituelle Welt.

Wir haben das Glück, die Namen einiger früherer afrikanischer Künstler zu kennen, wie Ngongo ya Chintu (der Meister der Buli), aus dem zentralafrikanischen Luba-Königreich (gegenüber), der um 1900 in der Stadt Buli arbeitete. Bei den Luba galt der Thron als Symbol für politische und religiöse Legitimität. Sein Werk ist durch emotionale Intensität, lange Gesichter und gesenkte Augen gekennzeichnet. Wie jemand sitzt, definiert seinen Rang und Titel: niedrig gestellte Personen sitzen auf Matten und Fellen, während Würdenträger geschnitzte Holzthrone haben. Auf solchen Thronen, die den Geist des Herrschers verkörperten, fanden auch die Amtseinsetzungsriten statt. Luba-Throne sollen an den Gründer des Reiches (1585) erinnern: Mbidi Kiluwe, ein berühmter Jäger, dessen wertvollster Besitz sein Bogen war, erhielt einen besonderen Bogenständer als Symbol seiner Autorität. Auch wichtige Mäzene sind bekannt, wie der berühmte Ife-Yoruba-König Obalufon, der dieses riesige, auf Stadtstaaten basierende Gemeinwesen (im heutigen Nigeria und Teilen von Benin und Togo) um 1300 regierte.

Komplexe und kunstvolle Schreine und Tempel sind auf dem ganzen Kontinent zu finden. Als der Niederländer Olfert Dapper 1668

Der Meister der Buli (wahrscheinlich Ngongo ya Chintu)
Thron des Luba-Häuptlings
Republik Kongo, frühes 20. Jahrhundert
Holz, 61 x 27,9 x 27,9 cm
Metropolitan Museum of Art, New York

Luba-Throne wurden oft mit weißem Stoff bedeckt und mit den Kräften des früheren sowie des lebenden Herrschers erfüllt. Die Luba sind ebenso wie die Aschanti und Kongo matrilineal organisiert und geben die Herrschaft über die Frauen weiter (die Königinmutter). Die Frau auf dem Thron ist ein Hinweis auf diese weibliche Abkunft.

eine Beschreibung von Benin City (Nigeria) veröffentlichte, verglich er die Stadt wohlwollend mit großen europäischen Städten wie Haarlem. Dappers Stich zeigt den turmgeschmückten Palastbau, von denen einer die königlichen Hauptaltäre enthielt (oben). Mit der europäischen Missionierung und dem Beginn der Sklavenkriege wandelte sich die Bewunderung für die Afrikaner in Verachtung. Man behauptete, sie seien unzivilisiert und keine richtigen Menschen, um diese Aktionen zu rechtfertigen. Doch selbst als sie die tödliche Versklavung durchlitten, schufen die Afrikaner außergewöhnliche Kunstwerke.

Benin-Künstler
Königlicher Altar mit königlichen Gedenkköpfen (*uhunmwun elao*) und anderen Arbeiten
Königreich Benin, Nigeria
Fotografie von Cyril Punch, 1891
Veröffentlicht in H. Ling Roths *Great Benin; Its Customs, Art And Horrors*, Halifax, England, 1903

Faszinierende Bronzeköpfe und andere Arbeiten wurden auf königlichen Altären ausgestellt und zeugten von sozio-kulturellen, politischen und religiösen Vorstellungen hinsichtlich Regentschaft und Macht. Der Kopf galt als Zentrum von Erfahrung, Führung, Glück und Erfolg. Glocken riefen die Götter zu den Zeremonien. Dieses Foto stammt von einer britisch-kolonialen Expedition nach Benin.

-

Im 20. Jahrhundert machten sich die europäischen und amerikanischen Gesellschaften die visuelle Kunst (Picasso, Matisse) und die Musik (Jazz, Blues) der Afrikaner zu eigen.

-

Eine aus dem 16. oder 17. Jahrhundert stammende Benin-Bronze aus Nigeria (gegenüber) spiegelt wider, wie globale Religionen in Afrika wahrgenommen wurden. Diese Altarskulptur trägt ein quadratisches Kreuz mit gleichlangen, sich nach außen aufweitenden Armen, vergleichbar koptisch-nubischen oder Malteserkreuzen. Ihr spitzen-

Mitglied der Bronzegießer-Gilde von Benin (Igun Eronmwon)
Kreuztragende Figur
Königreich Benin, Nigeria, 16. Jahrhundert
Bronze,
56,5 x 23,5 x 22,2 cm
Barnes Foundation, Philadelphia

Wissenschaftler setzen diese Figur heute mit Benins Schöpfergott Osanobua oder dem Höfling Ewua gleich, der den König jeden Morgen weckte. Frühere Quellen identifizierten die Figur mit dem Boten des Ogane (Herrscher) von Ife, dessen Häuptlinge die Herrscher von Benin in ihrem diplomatischen und Handelsnetz ehrten. Da diese und viele andere Skulpturen bei der kolonialen Übernahme 1897 vom Königshof Benins entfernt wurden, gibt es keine weiteren Informationen zu dem Objekt.

verziertes Gewand erinnert an venezianische Beispiele des 15. Jahrhunderts und ihr Hut sieht ein wenig aus wie ein Priesterkäppchen. Zu den heimischen symbolischen Elementen gehörten ein erhobener Daumen (Zeichen eines Anführers), ein (nicht mehr vorhandener) Schmiedehammer und ein Stoffschurz mit eingeritzten europäischen Köpfen, Blättern und Fischen. Solche Skulpturen zeugen von der lokalen und globalen Geschichte Benins. Im 17. und 18. Jahrhundert gab es im Bornu-Reich und am Tschadsee noch vermutlich aus dem Niltal stammende christliche Gemeinden. Ihr Einfluss reichte bereits bis zum Zusammenfluss von Niger und Benue, als Benin die Kontrolle über die Region erhielt.

Die ungewöhnlichen diagonalen Yagba-Nupe-Gesichtsnarben in diesem Werk zeugen vom Kontakt im Niger-Benue-Gebiet, wo es Verbindungen zu den Dynastien in Ife und Benin und ihrem militärischen Anführer Oranmiyan gab. Genau wie der Islam beeinflusste das Christentum die afrikanische Kunst, Politik und Religion und wurde selbst von diesen beeinflusst. Das Werk spiegelt die Verbindung Benins (und Westafrikas) zur Geschichte der vorkolonialen Ausbreitung des Christentums wider. Nach der Konvertierung der nubischen Herrscher im 6. und 7. Jahrhundert hatte das Christentum entlang des Nils bis in das späte Mittelalter Bestand und breitete sich nach Westen bis über den Tschadsee hinaus aus. In Benin kam es nach 1480 mit der Ankunft portugiesischer Schiffe zu neuen missionarischen Aktivitäten, nachdem Heinrich der Seefahrer (1394–1460), Anführer des Christusordens, erste Vorstöße hatte unternehmen lassen.

Orts- und zeitübergreifende symbolische Formen sind wichtig in Afrika. Ein Beispiel ist der Bronzeschild (ca. 1340–1400) (gegenüber). Er wird mit zwei großen dynastischen Mächten in Verbindung gebracht – Yoruba und Benin (in Nigeria). Dieses vermutlich von einem Yoruba-Künstler in einer Ogboni-Werkstatt (einem religiösen Bund) geschaffene Werk handelt vielleicht von der Einsetzung des Königs oder von jährlichen Zeremonien zur Stärkung der Königsmacht. Dieser Herrscher trägt die typischen senkrechten Gesichtsnarben der ersten Ife-Dynastie (oder eine verschleierte Krone) sowie ein Hüftgehänge in Form eines Widderkopfes. Zwei kleinere Priester stützen seine Arme während des Rituals. Die hier verwendeten Symbole (Sirenen und Meermänner) scheinen von weither zu kommen – schließlich ist eines der frühesten Beispiele dafür einige Jahrhunderte älter und stammt aus Ägypten.

Schmuck und andere leicht zu transportierende Dinge zeigen die Bedeutung innerafrikanischer Kontakte und Handelsbeziehungen. Der nubische Goldschild aus Meroe (umseitig) trägt den widderköpfigen Gott Amun, vielleicht aber auch den Flutgott Chnum. Dieses

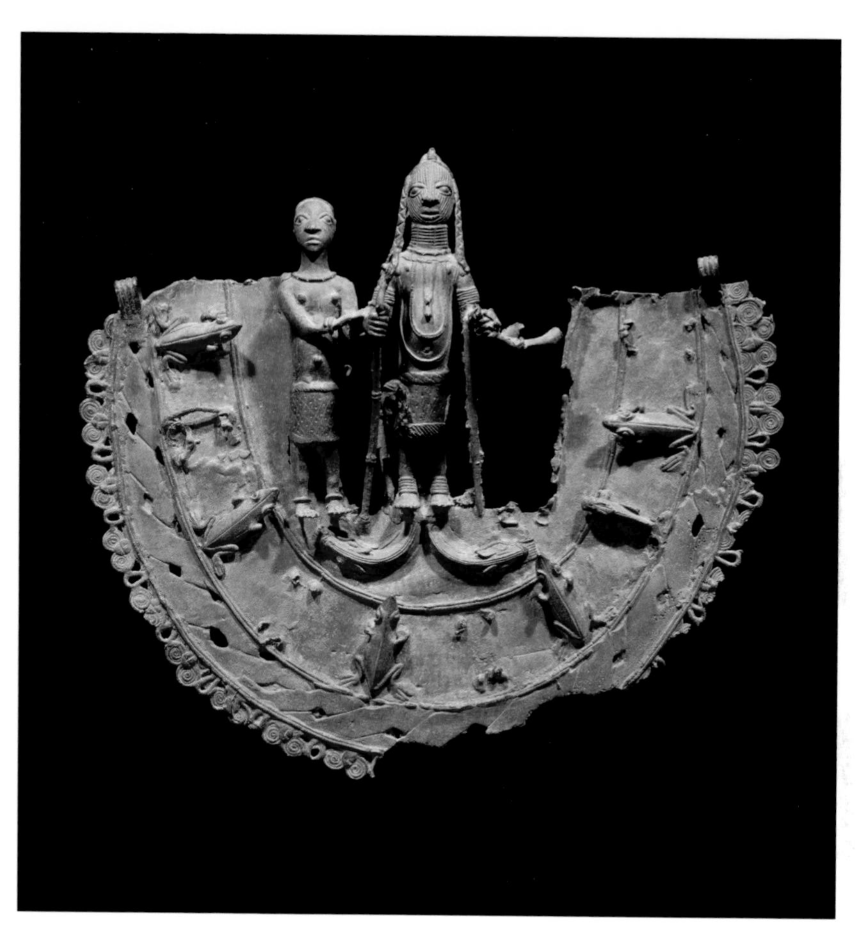

Mitglied der Bronzegießer-Gilde der Yoruba (Ogboni-Werkstatt)
Yoruba/Benin-Schild, der einen König mit zwei Priestern zeigt
Nigeria, 14. Jahrhundert
Bronze, Höhe 39 cm
Benin City National Museum

Unter den Füßen des Königs befinden sich zwei sich nach außen windende Schlammfische – Wesen, die übersommern und mit der Regenzeit ins Leben »zurückkehren«. Dies erinnert an Bilder von Sirenen aus dem Mittelmeerraum und der afrikanischen Welt von der Antike bis in die Gegenwart. Auch Frösche wecken die Vorstellung von einer Transformation.

Nubischer Schmuckhersteller
Meroe-Goldschild mit Kopf des Gottes Amun
Sudan, ca. 10 v. Chr.
Gold mit Emaille, 4,5 x 3,6 x 2 cm
Ägyptisches Museum und Papyrus-Sammlung, Berlin

Dieser Ring mit miniaturisiertem Schild zeigt den Widderkopf des Amun mit den nach innen gebogenen Hörnern. Er stammt aus dem Grab der meroitischen Königin Amanishakheto (ca. 10 v. Chr. bis 1 n. Chr.). Diese Königin wird oft mit der Kriegsgöttin gezeigt.

Yoruba-Bronzegießer
Yoruba-Schild mit Widderkopf
Apapa-Hort nahe Lagos, Nigeria, 14. Jahrhundert
Bronze,
39,2 x 68,5 x 6,1 cm
British Museum, London

Die Schildform und das Widderkopfmotiv zeigen Parallelen zu nubischen Formen, von denen einige im Mittelalter nach Westen bis in das Gebiet am Zusammenfluss von Niger und Benue gelangten.

Werk scheint zwischen 1100 und 1300, in einer Zeit der Dürre, aus dem Niltal zu den Ufern von Niger und Benue gelangt zu sein (wahrscheinlich auf der ost-westlichen Handelsroute). Der sich ausbreitende Islam sorgte für politische Unruhen im christlichen Nubien. Flüchtlinge führten Familienschätze mit sich, während andere Gegenstände über Händler verbreitet wurden.

In den Yoruba- (Ife, Owo) und Benin-Königreichen am unteren Niger besitzen schildartige Formen mit Widderköpfen, oft aus teuren Kupferlegierungen gegossen, ähnliche bildliche Elemente (oben). Widderköpfe standen bei den Yoruba für die Langlebigkeit der Dynastie und die Kontrolle über den Regen – hier in Form des Blitz- und Donnergottes Shango. Manchmal strecken diese Widder Donneräxte aus. In der mittelalterlichen nigerianischen Grabstätte Igbo Ukwu zeugen Glasperlen und andere Materialien nicht nur von den Verbindungen zur Yoruba-Kultur von Ife im Norden, sondern auch zum Niltal und sogar nach Indien.

Andere Beispiele demonstrieren den visuellen Austausch besonders aufschlussreich. In dem mittelalterlichen nubischen Ort Banganarti gibt es ein bemerkenswertes Wandbild aus dem 13. Jahrhundert mit einem christlichen Priesterkönig (umseitig), dessen Gewand, einschließlich einer mit Tierhörnern und Federn verzierten Krone, an die Pharaonenzeit erinnert. Das Bild spricht von früherer politischer Macht an diesem heute so abgelegenen Ort. Vergleichen

Koptischer Wandbildmaler
Reproduktion eines Wandbildes aus Banganarti
Sudan, 13. Jahrhundert
Original im Sudan National Museum, Khartum

Die Robe, die mit geflügelten Figuren in Kreisen (vielleicht Engeln) geschmückt ist, weist große Ähnlichkeit mit Darstellungen aus der byzantinischen Tradition am Mittelmeer auf, wie etwa dem Krönungsgewand des Kaisers von ca. 1300, das ebenfalls geflügelte Wesen zeigte, auch wenn es sich in diesem Fall um einen Adler handelte.

Lower-Ogboni-Werkstatt vom unteren Niger
Priesterherrscher-Figur aus Tada
Yoruba, Nigeria, Mitte des 14. Jahrhunderts
Bronze, Höhe 115 cm
Nigerian National Museum, Lagos

Der Priesterherrscher aus Tada trägt auf der Brust ein dreieckiges Medaillon mit einem Widderkopf und Vögeln. Diese Bilder erinnern an nubische Formen, die wahrscheinlich auf den Widdergott Chnum/Amun zurückgeführt werden können und im christlichen Nubien im königlichen Umfeld wiederbelebt wurden. Der Widder erinnert außerdem an Shango, den man anrief, um Erfolg beim Fischen und beim Handel zu haben.

Sie es mit der reich gekleideten, fast lebensgroßen Bronzefigur eines Priesterkönigs von 1340 (gegenüber) aus der Hafenstadt Tada am Niger. Die Skulptur wird manchmal als Gara-Figur identifiziert, einem Ort nahe der Igala-Hauptstadt Idah im Niger-Benue-Gebiet.

Das detailreiche Werk stammt vermutlich aus einer Ogboni-Werkstatt am unteren Niger. Deren großformatige Skulpturen zeichnen sich durch ihre großen, pupillenlosen Augen, aufwendige Kleidung und komplexen Gesten aus. Robe, Schmuck und Krone der Figur sind einmalig in der west- oder zentralafrikanischen traditionellen Kunst und haben ihre Wurzeln wahrscheinlich in der koptischen (byzantinischen) Welt und ihren christlichen Ausprägungen im Niltal – Traditionen aus nubischen Orten wie Faras, Alt Dunqula und Banganarti. Wie manche mittelalterlichen und früheren Werke aus dem Niltal trägt der Tada-Priesterkönig einen Kopfschmuck aus

zwei Hörnern (die auf den Rücken hinunterreichen) und Federn. Ähnlich wie das Banganarti-Wandbild enthält das Gewand der Tada-Skulptur geflügelte Figuren und Kreuze mit gleichlangen Armen, die typisch für die koptischen und andere östliche Traditionen sind. Die Krone des Priesterkönigs aus Tada zeigt ein rundes Diadem in einem Geflecht, das an byzantinische und koptische Textilformen erinnert. Auf dem Diadem ist ein Gesicht mit herausgestreckter Zunge, Schlangen, die aus den Nasenlöchern herausschauen, und Hörnern (ähnlich wie bei der griechisch-römischen Gorgone oder der ägyptischen Bes-Gottheit). Die in der byzantinisch-mittelalterlichen Zeit beliebte Gorgonen-Form erreichte Nigeria vermutlich über den Fernhandel. Eine wichtige Quelle für das Gorgonen-Bild ist der Abendmahlssaal, eine Pilgerstätte in Jerusalem, in der ein Gorgonen-Kopf an einem Säulenkapitell auftaucht. Weitere Werke in diesem Schrein in Tada sind ein Elefantenkalb und zwei Strauße aus Bronze (Tiere, die mit dem Fernhandel assoziiert waren).

Manchmal sind frühe Kunstformen (wie Kopfstützen) so weit verbreitet, dass sie auf ältere und weitere Verbindungen über den

Ägyptischer Elfenbeinschnitzer
Kopfstütze
Deir el-Bersha, Ägypten, ca. 2000 v. Chr.
Elfenbein,
15,5 x 18,4 x 6,7 cm
British Museum, London

Diese oftmals recht kleinen Gestelle erlaubten es einer Person, den Kopf bzw. Nacken darauf abzulegen, um die aufwendige Frisur im Schlaf nicht zu zerstören. Da solche Werke oft in der Familie weitergegeben wurden, tragen sie den Geist der Vorfahren in sich und boten den lebenden Familienmitgliedern religiöse Unterstützung und Macht.

Baga-Holzschnitzer
Baga-D'mba-Kopfputz
Guinea,
19.–20. Jahrhundert
Holz und Messing,
132 x 39 x 61,5 cm
Yale University Art
Gallery, New Haven

Der Nimba wird auf dem Kopf balanciert. Die beiden vorderen Streben dienen zur Stabilisierung. Der Träger schaut durch die Augenöffnungen zwischen den Brüsten. Manchmal, bei Erntezeremonien und Hochzeiten, wird die Maske auf dem Boden abgestellt. Geradlinige Muster auf der Oberfläche sollen den Reihen auf dem Feld ähneln und genau wie die Frisur die Baga an die Verbindungen des Volkes mit den Mande-Kulturen weiter im Norden erinnern.

Kontinent hindeuten. Eine dieser Elfenbein-Kopfstützen (gegenüber) erinnert an vergleichbare Holzobjekte, die man heute überall in Afrika findet. Untersucht man, wie Kunst über den Handel verbreitet wurde, stellt man fest, wie Formen und Bedeutungen beeinflusst wurden. Kaurimuscheln vom Indischen Ozean gelangten im Mittelalter nach Westafrika und dienten zugleich als Währung und als Deko-Objekte. Sowohl das Nil- als auch das Niger-Benue-Gebiet gehörte zum Handelsnetzwerk der asiatischen Seidenstraße. Die Ernte wilder Seidenraupen und die Textilherstellung waren im Yoruba-Ife-Gebiet und anderswo von Bedeutung.

Im vorkolonialen Afrika hatten Frauen besondere Macht, was sich in der Kunst widerspiegelt. Bei Paaren werden die Frauen oft ebenso groß wie die Männer (oder größer) dargestellt. Weibliche und männliche Figuren besitzen manchmal ergänzende körperliche Merkmale oder dekorative Elemente (Lippenpflöcke und Bärte oder Brüste und Brustmuskeln). Mutterschaft wird besonders geehrt. In bestimmten Fällen – unter anderem Luba und Dahomey – werden Herrscher symbolisch als Frauen betrachtet. Gemeinschaftliche Arbeiten und männliche Initiationen greifen oft auf das Bild der Mutterschaft zurück. Die Baga-D'mba-Maske aus Guinea (vorherige Seite) enthüllt dieses Ideal. Ihr Name bezeichnet eine Frau, die ein Kind geboren hat. Die längeren, flacheren Brüste einer älteren Frau zeigen, dass diese Schnitzerei eine Mutter darstellt, die viele Kinder gestillt hat. Sie wird als Mutter der Familie (oder Gemeinschaft) und als Ikone der Mutterschaft ganz allgemein identifiziert. Unter den benachbarten Mende gehören die Sande-Sowei-Helmmasken (gegenüber) zu den wenigen Masken, die Frauen tragen. Sie benutzen sie während der Initiationsriten, bei denen jüngere Frauen die Werte der Gemeinschaft und ihre Rolle in der Gesellschaft kennenlernen. Weibliche Schönheitsideale werden angedeutet – eine breite, hohe Stirn (Intelligenz, Denken), kompakte Gesichtszüge (kleiner Mund – Gefasstheit und Demut) und schöne Halswellen (Gesundheit, Wohlstand und Wasserwellen). Letztere erinnern an den Geist von Sande, der aus Wasserbecken aufsteigt. In der Vergangenheit fand die Sowei-Initiation im Zusammenhang mit der weiblichen Beschneidung statt, zu deren Heilung die Sowei-Masken beitragen sollten.

Manchmal wurden ältere oder wohlhabende Frauen der Hexerei verdächtigt. Bei den Yoruba griff man diese Frauen nicht an, sondern ehrte sie mit besonderen Gelede- (»alten«) Maskeraden, um diese »Mütter« zu feiern (*awon iya wa*). Das Bewahren gesellschaftlicher Werte spielt ebenfalls in die Fertigung von Kunstwerken hinein, wobei oftmals verschiedenste Formen der Wahrsagerei daran

Mende-Holzschnitzer
Mende-Sowei-Maske
Sierra Leone,
20. Jahrhundert
Holz und
Pflanzenmaterial,
33 x 20,3 x 20,3 cm
Minneapolis Institute
of Art

Die Oberfläche der Maske betont die schöne, glänzende, schwarze Haut (Gesundheit, Schönheit) und die sorgfältig arrangierte Frisur, die die Werte der Gemeinschaft widerspiegelt, wenn man sich gegenseitig die Haare flicht – hier in einer V-Form, die an Reihen aus Pflanzen erinnert. Die zarte Choreografie des Sowei-Tanzes, der in dunklen Raphia-Kostümen aufgeführt wird, kündet von moralischer Schönheit.

Fon-Holzschnitzer und *Bocio*-Hersteller
Fon-*Bocio*-Figur
Guinea-Küste,
Republik Benin,
frühes 20. Jahrhundert
Holz, Fasern und Federn,
14,29 x 4,13 x 3,18 cm
Yale University Art
Gallery, New Haven

***Bocio*-Skulpturen, »ermächtigter Leichnam«, dienen als eine Art Ersatzmensch, sind mit Holzpflöcken, Tierskeletten, Ketten oder Stricken gespickt oder haben Pflöcke in allen möglichen Körperöffnungen stecken – ein sichtbares Sammelsurium an Schäden, das den eigenen Schutz stärken soll. Die Eisenspitze am unteren Ende wird in den Boden gesteckt, sodass die Stimmen der Ahnen zum Schutz beitragen können.**

beteiligt waren. Skulpturen nahmen manchmal eine Schutzfunktion ein. Ein solches Werk, ein Fon- (Dahomey) *Bocio* (gegenüber), diente als Ersatz für lebende Familienmitglieder, die irgendwelchen Bedrohungen ausgesetzt waren. Die Figur sollte den Schaden stellvertretend aufnehmen. Manche *Bocio* besitzen zwei Köpfe – entweder neben- oder hintereinander –, die ihre Macht verstärken und Schutz vor den »vier Augen« der Hexerei bieten. Ähnliche Formen des Schutzes und Heilens lassen sich bis zu viel älteren Traditionen in der afrikanischen Kunst zurückverfolgen und künden von den universellen Möglichkeiten, die Kunst bietet, um Schwierigkeiten abzuwenden und den verschiedensten Betrachtern Frieden zu bringen.

WICHTIGE IDEEN

- Historische Handelsrouten verbanden Völker, Ideen und Kunstformen über den ganzen Kontinent hinweg.
- Selbst kleine, tragbare Kunstobjekte konnten neue Ideen zum Leben erwecken und damit eine einflussreiche Rolle spielen.
- Ungewöhnliche Motive – wie Sirenen und Gorgonen – helfen uns, die Verbindungen über die Handelsrouten nachzuvollziehen.
- Weit verbreitete Motive, wie die gebogenen Kopfstützen, erlauben es uns, breite, überregionale Verbindungen zu erkennen.

WICHTIGE FRAGE

- Welchen Einfluss hatten diese Faktoren auf die frühe afrikanische Kunst?

URALTE KUNST
(75.000 V. CHR. – 499 N. CHR.)

-

Nicht alles kann gesehen werden,
aber alles existiert.

-

Sprichwort aus Tansania

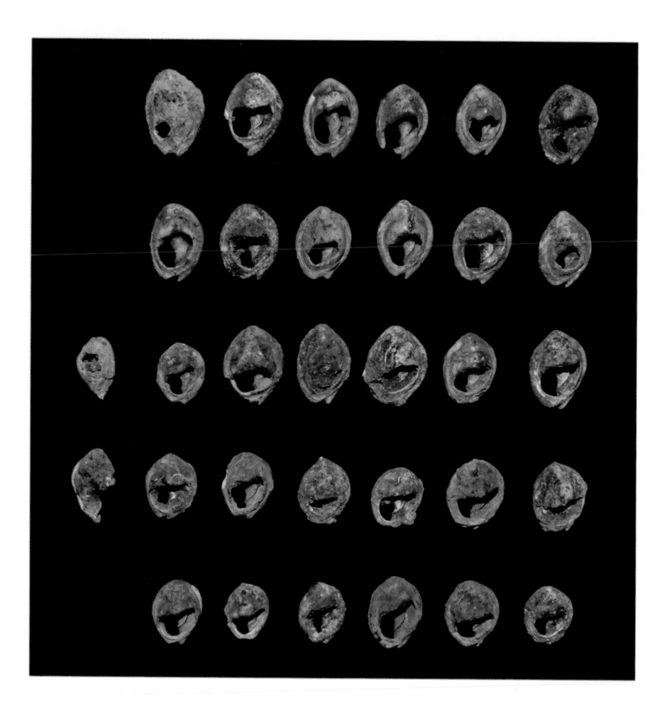

Unbekannter Schmuckhersteller
33 durchbohrte Muschelschalen für eine Halskette
Bizmoune-Höhle, nahe Essaouira, Marokko, 142.000–150.000 v. Chr.
Muschelschalen

Schmuck hat im Laufe der Zeiten verschiedene Formen angenommen. Diese Muschelschalen, die alle eine ähnliche Größe besitzen, haben Löcher für Fasern oder andere Möglichkeiten der Aufhängung. Flach vor dem Körper getragen, dienten die glänzenden weißen Oberflächen und abgerundeten natürlichen Formen dazu, den Träger von anderen Mitgliedern der Gemeinschaft abzuheben.

Alle Kunsttraditionen beginnen irgendwo und das gilt vor allem in Afrika, wo die Menschen vor etwa zwei Millionen Jahren ihren Ursprung hatten. Sie hinterließen Kunstformen, die nicht nur von Überleben künden, sondern von aktiver Beschäftigung mit der Welt. Zurückblickend finden wir ein reiches Erbe der kreativen Auseinandersetzung mit wiederkehrenden Themen, von Körperkunst und Naturdarstellungen bis zur Bedeutung der Frau, Kennzeichnungen von Orten und schützenden, hügelförmigen Schreinen, reich geschmückten Insignien und Szenen des Gemeinschaftslebens. Vergangenheit und Gegenwart liegen nahe beieinander und die Vorfahren spielen im Leben der Familie eine wichtige Rolle. Oft ist Kunst der Stoff, der alles zusammenhält.

Der früheste Beweis für Körperbemalung (Skelettfunde mit Ocker-, Eisenoxid- und Lapislazulipigmenten) datiert auf etwa 400.000 v. Chr. und wurde in Lusaka, Sambia, gefunden. Die ältesten bekannten Schmuckfragmente, bestehend aus 33 Muschelperlen, sind 150.000 Jahre alt und stammen aus der Bizmoune-Höhle im südwestlichen Marokko (oben). Diese Perlen mit ihrem einmaligen ästhetischen Wert zeugen vom Interesse der Künstler an Schönheit, Prestige, Familienbindung und persönlicher oder Gruppenidentität. In Südafrika beweisen Abfallhaufen mit Muschelschalen die Besiedlung durch Menschen bereits vor 140.000 Jahren, als die Migration aus Afrika auf dem Höhepunkt war. Eine besonders kreative Zeit vor etwa 80.000 Jahren war in der südafrikanischen Kapregion gekennzeichnet durch einen schnellen technologischen Wandel. Sowohl Muschelhaufen als auch große Feuerstellen beweisen das Zusammenleben großer Gruppen, ermöglicht durch die maritime Eiweißquelle. Ab etwa 90.000 v. Chr. entstanden und verschwanden im 5.000-Jahres-Zyklus Kulturen an den Orten Sibudu und Blombos – nicht umweltbedingt, sondern weil Populationen (und Anführer) bekannte technologische Grenzen ausreizten und dann durch andere ersetzt wurden. In der Sibudu-Höhle beim heutigen Durban gab es etwa 70.000 und 59.000 v. Chr. Fortschritte bei der Herstellung von Steinwerkzeugen, als man begann, hitzeverstärkte Kleber zu nutzen.

Aus der nahegelegenen Blombos-Höhle stammt ein aufwendig graviertes Ockerstück (unten) mit der vermutlich ältesten bekannten menschlichen Zeichnung, datiert auf 73.000 v. Chr. Die Oberfläche zeigt ein dünnes, paralleles, schräges Linienmuster, das wahrscheinlich mit scharfkantigen Klingen aufgebracht wurde. Die diagonalen Linien formen Rauten, vergleichbar den Mustern, die man von späteren Schmuckformen und Behältern kennt. Ist dies einfach nur ein künstlerisches Element oder stellt es eine abstrakte lineare Form einer codierten Sprache dar, die von führenden Mitgliedern der Gemeinschaft gelesen werden konnte? Beides ist ange-

Unbekannter Ockerschnitzer
Geschnitzter Ocker
Blombos-Höhle, Still Bay, Südafrika, 78.000–72.000 v. Chr.
Isoko Museum, Kapstadt
Länge etwa 6 cm
Iziko South African Museum, Kapstadt

Roter Ocker (Eisen(III)-oxid) dient in Afrika oft als Pigment zum Färben von Körper und Haaren im Alltag oder bei Ritualen (für Pubertätszeremonien, Initiationen, Einsetzung von Königen und Beerdigungen). Ocker hat außerdem einen medizinischen und symbolischen Wert, weil er an Blut erinnert (das Leben, Geburt, Gefahr und Macht symbolisiert).

sichts unseres Wissens über afrikanische Kunst denkbar. In gewisser Weise erinnert das Muster an Zähl- oder Kalenderstöcke der Khoisan oder die abstrakten Zeichen der Luba-Erinnerungsbretter (*Lukasa*) aus dem Kongo. Die *Lukasa* zeigen ähnlich komplexe geometrische Muster und dienen als symbolische Diagramme, Karten und Erinnerungshilfen.

In Blombos finden wir außerdem neue und schärfere Werkzeuge aus Stein, bei denen unter Druck erhitzte (und dann abgekühlte) Steinstücke abgeschlagen (»Pressure Flaking«) wurden, um eine zweiseitige Spitze herzustellen. Diese Messer waren effizient, aber empfindlich, und dienten vielleicht als Ritual- oder Prestigeobjekte – auch später setzte man Speere in Afrika manchmal nicht für Jagd oder Kampf, sondern in Regenritualen ein. Blombos- und Sibudo-Perlen entstanden zwischen 73.000 und 69.000 v. Chr. Von den 60 Perlen dieses Ortes stammen 27 vermutlich von derselben Halskette. Ebenfalls in Blombos gefunden wurden Fragmente von gravierten Straußeneiern (ca. 58.000 v. Chr.). Ihre Markierungen ähneln den Verzierungen an Straußeneier-Gefäßen der Khoisan.

Um 40.000 v. Chr. wurden verzierte afrikanische Muschelschalen über Strecken von bis zu 500 km weit gehandelt – und verbreiteten auf diese Weise künstlerische Werte.

Khoisan-Maler
Felsbild von Elenantilope und menschlichen Figuren (Detail)
Game Pass Shelter, Kamberg Nature Reserve, Drakensberg, Kwazulu Natal, Südafrika, ca. 3000–1 v. Chr.

Ein Großteil der Tiere auf Felsbildern im südlichen Afrika sind Elenantilopen, eine Art, die auch in heutigen Khoisan-Ritualen eine besondere Bedeutung hat. Das bedeutet, dass die Abbildungen in den Zeichnungen nicht gewählt werden, weil es mögliche Nahrungsquellen (kleinere Tiere), potenzielle Gefahren (Leoparden, giftige Schlangen) oder verbreitete Szenen (Vögel) sind.

Berber-Künstler
Ritzbild von Giraffen und Menschen sowie Schrift in der Sahara
Tadrart, Algerien,
ca. 4000–3000 v. Chr.,
und neuere Ergänzungen

Diese Gravur zeigt bemerkenswert naturalistische Giraffen und ihre Jäger. In einem Abschnitt berührt ein Mensch (vermutlich ein Jäger) die Giraffe an der Nase, was einen engen Kontakt nahelegt. In diesem Bereich sind drei abgewandte Giraffen zu sehen, die Wache zu halten scheinen. Motive sind wichtig für die Datierung, reichen aber nicht aus, da Tiere, die früher auftauchen, auch später porträtiert wurden.

Felsbilder haben nicht nur in Südafrika eine lange Geschichte. Die meisten der 14.000 bekannten afrikanischen Exemplare sind undatiert. Etwa die Hälfte befindet sich im Süden Afrikas (gegenüber); die meisten anderen liegen in der Sahara. Das früheste wissenschaftlich datierbare Beispiel ist aus der namibischen Stätte Apollo II. Manche Wissenschaftler verbinden diese Werke mit »Magie« (für eine erfolgreiche Jagd) oder Trancen (schamanistische Riten mittels neurologischer Veränderungen). Vielleicht sollen sie aber auch nach dem Tod die Lebenskraft in einem ehrenden Bild verankern (sichern), die den Lebenden hilft. In den Tsodilo-Hügeln von Botswana sind an einem einzigen Berg die meisten der ca. 4.500 Khoisan-Bilder zu finden. An diesem höchsten von vier Felsen wurden laut der lokalen Überlieferung die Menschen erschaffen. Das Wasser aus den örtlichen Höhlen gilt als heilig und glücksbringend, gesegnet von den dortigen Göttern. Unabhängig vom Kontext spiegeln Felsbilder Sehvermögen, Ortswahrnehmung und religiöse Werte der Künstler wider. Gravuren und naturalistische Gemälde von Einzelmotiven mit roten oder schwarzen Silhouetten gelten als die frühesten Werke; später tauchen aufwendige Szenen mit mehreren Figuren und stilisierte menschliche Themen auf. Felsbilder von etwa 11.000 v. Chr. wurden nahe Aswan in Ägypten gefunden – einem Siedlungs-, aber auch Durchgangsort.

Die Tassili n'Ajjer (Algerien) ist eine Gebirgskette mit Tausenden von Felszeichnungen und Ritzungen (oben). Die Zeichnungen von

Menschen sind meist stilisierter als die von Tieren. Offensichtlich galten hier unterschiedliche Kriterien. Formen und Posen der Tierbilder sind oft naturalistisch, wie diese Giraffen beweisen. Zugleich sieht man libysche Schriftzeichen. Dieses Alphabet hat 22–24 Buchstaben in Form geometrischer Muster (Kreise, Quadrate, Linien und Punkte), die senkrecht, waagerecht oder spiralförmig geschrieben wurden. Das sogenannte Tifinagh war von den Kanarischen Inseln bis nach Libyen und weit in die Sahara/Sahelzone verbreitet. Es hat sowohl phönizische als auch lokale Berber-Wurzeln und man findet es auch in Tätowierungen, Töpferarbeiten, Kamelbrandzeichen und religiösen Symbolen. Die meisten Tifinagh-Texte stammen aus dem numidischen Berberreich im heutigen Algerien und Marokko: Grabinschriften, religiöse und beschreibende Texte entstanden bis in das 12. Jahrhundert hinein, als viele Berber begannen, Arabisch oder Hebräisch zu sprechen. Der älteste noch vorhandene Text ist eine tunesische Inschrift von 138 v. Chr., also deutlich nach der Zeit, als die Phönizier im Jahre 814 v. Chr. die Kontrolle über die Stadt übernahmen. Unter den mit den Berbern verwandten Tuareg südlich der Sahara werden Zeichen aus dem Tifinagh-Alphabet weiterhin für Schmuck und dekorative Elemente verwendet. Kinder lernten die Schrift von ihren Müttern.

Viele Felsbilder in der Sahara befinden sich an Durchgangsorten: 35–40% der Fundstellen liegen an den zwei wichtigsten Wüstenrouten. Ihre Motive – ab 700 v. Chr. Kamele, von 4000 bis 500 v. Chr. Pferde – helfen bei der Datierung: Bubalus- (Büffel) Zeit (7000–4000 v. Chr.) mit einzelnen naturalistischen Tieren (Wasserbüffel oder Elefanten) und bewaffneten Menschen, Rinderphase (6000–4000 v. Chr.) mit Rindern und gezähmten Hunden (ein Zeichen für Hirtengruppen), aber auch Elefanten. Die gut an trockenere Klimate angepassten Giraffen lassen sich auf ca. 4000–3000 v. Chr. datieren. Die Pferdezeit (4000–500 v. Chr.) zeigt ab ca. 1000 v. Chr. Streitwagen. Pferde zeugen genau wie Kamele (vor 100 zu finden) von Reisen und Handel durch die Sahara. Herodot berichtet, dass Berberfrauen in Nordafrika manchmal Kämpfe auf Streitwagen ausfochten.

In ganz Afrika gibt es Steinkreise (insgesamt etwa 1.600), die mit Himmelsbewegungen und Konstellationen, Mondkalendern, aber auch lokalen Festen zu tun haben. Eine dieser Formationen in Nabta Playa (gegenüber) nahe der Grenze zwischen Ägypten und dem Sudan wird auf etwa 7500 v. Chr. datiert. Sie gilt als eine der ältesten Stätten menschlicher Monumentalarchitektur und wird manchmal als wichtiger Vorläufer und Modell für die späteren ägyptischen Bauten angesehen. Die Gegend rund um Nabta Playa war fast 5.000 Jahre lang bewohnt und die Stätte selbst entstand durch Gruppen, die 10.000–8000 v. Chr. einwanderten, um den nahe gelegenen See zu nutzen.

Erbauer aus Hirtenvolk
Steinmenhire
Nabta-Playa-Kalenderkreis (Rekonstruktion im Nubischen Museum Assuan) Ägypten
7000–5000 v. Chr.

Genau wie das spätere Stonehenge (das auf 2600 v. Chr. datiert wird) spiegelt diese Struktur sowohl das technische Geschick als auch die astronomischen Interessen wider. Nachdem Nabta Playa aufgegeben wurde (ca. 6000–5000 v. Chr.), traf eine andere Gruppe ein, die noch komplexere Strukturen baute, wobei sie die Megalithen mit einbezog.

Der Getreideanbau entwickelte sich und neue Formen von Töpferwaren erlaubten das Kochen der Körner. Nabta Playa wurde ursprünglich saisonal genutzt. Etwa um 6100–5600 v. Chr. entstanden Siedlungen mit großen Feuerstellen und tiefen Brunnen und der Ort wurde zu einem rituellen Zentrum. Knochen bezeugen die Domestizierung afrikanischer Rinder um 6000–4500 v. Chr., auch wenn man im Niltal bereits 8500 v. Chr. Wildrinder jagte und zähmte.

Kühe spielten wichtige wirtschaftliche und zeremonielle Rollen. In Nabta Playa wurden Kühe in einer unterirdischen, mit Steinen bedeckten Ritualkammer geopfert. Man errichtete einen Steinkreis mit vier »Toren«, die – passend zur Sommersonnenwende – in Nord-Süd- bzw. Ost-West-Richtung ausgerichtet waren. Etwa 4500 v. Chr. kam ein großer Grabhügel mit einer kuhförmigen Skulptur hinzu. Mit Ritualen zur jährlichen Regenzeit bestimmte man den Weidewechsel und die Anbauzeiten. Diese Periode war insgesamt feuchter als heute und die Hirten konnten von 6000 bis 4500 v. Chr. problemlos die grünere Sahara und das Sahelgebiet durchqueren, sodass mit den Rindern, Ziegen und Schafen neue Sprachen, Kulturen und Kunstformen mitgebracht wurden.

FRÜHES NILTAL: RELIGION UND HANDEL, 4400 V. CHR.–999 V. CHR.

Die Entwicklung der Landwirtschaft und der Anbau von Getreide wie Hirse, Reis und anderen Arten förderten neue Technologien wie die Töpferei. Die verbesserte Form der Nahrungszubereitung begünstigte das Wachstum der Bevölkerung, die nun in festen

Siedlungen lebte. Im vierten bis zweiten Jahrtausend v. Chr. entstanden in den nubischen Gebieten am südlichen Nil technisch und ästhetisch wichtige Keramiktraditionen, manchmal mit aufwendig dekorierten Oberflächen. Im Laufe eines Jahrtausends nahmen die Regenfälle ab, sodass die Menschen verstärkt ins Niltal zogen. Etwa 3000 v. Chr. ersetzten Bauten aus luftgetrocknetem Lehm die kurzlebigen Schilfkonstruktionen in den Siedlungen.

Neue Technologien wie die Metallverarbeitung zogen Änderungen nach sich: Etwa ab 4000 v. Chr. verarbeitete man Kupfer zu Schmuck, Waffen und Werkzeugen und formte heimische und importierte Edelmetalle (Gold, Silber) und Edelsteine zu Objekten für Priester und Adel. Der ca. 5000 v. Chr. in Ägypten eingeführte Flachs erlaubte neue Bekleidungsstile. Am lebensspendenden Nil entstanden Herrscherdynastien. Eine neue Regierungsform und ein neues religiöses System ließen politische und priesterliche Hierarchien entstehen, die monumentale Bauten und Kunstwerke als Zeichen ihrer Macht in Auftrag gaben. Der früheste Nachweis für ein Königtum ist von etwa 3500 v. Chr., Priesterhierarchien lassen sich ab 3200 v. Chr. erkennen.

Ägyptischer Künstler
Narmer-Palette, Vorder- und Rückseite
Hierakonpolis,
ca. 3100 v. Chr.
Schiefer
ca. 64 x 42 cm
Ägyptisches Museum, Kairo

Auf beiden Seiten oben sind gehörnte Köpfe zu erkennen, die den »Himmel« verkörpern (die Göttin Bat). Narmers Name ist durch einen Wels (Afrikanischer Lungenfisch) und einen Meißel in einem Palastgebäude angegeben. Zwei giraffenartige Schlangenhalspanther mit verschlungenen Hälsen definieren den vertieften Bereich zum Vorbereiten der Schminke.

Die Narmer-Palette (gegenüber), gewidmet einem ägyptischen Herrscher dieses Namens, beleuchtete die militärischen, religiösen und administrativen Aktivitäten, die mit der Machtübernahme verbunden waren. Das aus graugrünem Stein gefertigte Werk wird auf 3200–3000 v. Chr. datiert und diente als Palette zum Zermahlen der Schminke, die Könige, Götter, gemeine Bürger und Statuen gleichermaßen trugen. Auf der einen Seite betrachtet der durch den Stier repräsentierte Narmer enthauptete Gegner. Auf der anderen Seite packt er einen knienden Feind bei den Haaren. Der Pharao trägt auf den beiden Seiten unterschiedliche Kronen – sie scheinen aber beide vom Oberen (südlichen) Nil zu kommen. Es gibt verschiedene Interpretationen für die Palette: Am häufigsten genannt werden ein historisches Ereignis (Sieg des Königs über seine Feinde), ein zeremonieller Bezug oder eine Szene kosmologischer Ordnung (Einheit und Chaos). Man vermutet einen Verweis auf die tägliche Wiedergeburt der Sonne (Re). Ungeachtet seiner (vermutlich vielfältigen) Bedeutung war dieses kleine Werk wahrscheinlich für den Dienst an einer Gottheit gedacht.

Ägyptische Vorstöße nach Nubien gab es im Mittleren Königreich (2040–1650 v. Chr.) und gelegentlich schon früher. Der sich immer wieder ändernde Grenzverlauf zwischen beiden Ländern wurde anhand der Nilkatarakte gemessen. Elephantine, Flussinsel und einer der ältesten Grenzorte, war religiöses, politisches und Handelszentrum nahe dem Ersten Katarakt etwa auf halbem Weg zwischen dem Nildelta und Meroe, der Hauptstadt des späteren (750 v. Chr. bis 300 n. Chr.) Napatanisch-Meroitischen Reiches. Das nubische Kernland reichte von Elephantine nach Süden bis zum Sechsten Nilkatarakt nahe Khartum (im heutigen Sudan). Die Katarakte machten den Nil manchmal unpassierbar und erforderten ein Umtragen der Boote. Erfahrene nubische Bootsleute waren für den Nord-Süd-Handel deshalb entscheidend. Das Messen des jährlichen Hochwassers bestimmte die Aktivitäten am Nil, besonders Anbau und Ernte sowie die Steuererhebung. Ein Wasserstandsmesser (Nilometer) in den Felsen von Elephantine ermittelte Anstieg und Fallen des Flusses nach den Niederschlägen im äthiopischen Hochland. Das Nilometer befand sich nahe dem Tempel des Chnum, des Widdergottes, der für das jährliche Nilhochwasser, das Leben (die Schöpfung von Menschen) und Bauen (aus dem Lehm des Nils oder aus angetriebenen Steinen) verantwortlich war. Manche glaubten, der Nil habe seinen Ursprung in einer Höhle nahe Philae, etwas weiter südlich. Chnum bewachte die angebliche Quelle des Nilwassers, das bei seinem Anschwellen nicht nur das lebenswichtige Wasser, sondern auch fruchtbare Erde mitbrachte. Ein nahegelegenes Nilometer ehrte

Ägyptische Erbauer
Stufenpyramide des Djoser
Ägypten, 2630 v. Chr.

Pyramiden sind ein Ausdruck für die Entwicklung einer höheren politischen Macht. Die Monumentalarchitektur, vieles davon in Form von Grabmälern und später Tempeln, spiegelt den Zyklus der Nilfluten und die Rolle der Priester als Vermittler zwischen Göttern und Menschen wider. In den Monaten ohne Regen nutzten große Zeremonien und Feiern diese Strukturen als wunderschöne Kulisse, auch wenn der Zugang in das Innere beschränkt war.

Chnums Frau, die Fruchtbarkeitsgöttin und Jägerin Satis, und enthält Szenen der Überschwemmungen.

Nubiens berühmte Bogenschützen trugen sowohl zur altägyptischen als auch zur nubischen Geschichte bei und sind sogar im ägyptischen Namen für das nubische Königreich Kusch verewigt (Ta-seti, »Bogenland«). Sie waren eine von mehreren nubischen Gruppen – Heer, Händler, Künstler, Verwalter –, die das Niltal verwandelten. Der kulturelle Reichtum lässt sich über die Überschneidungen zwischen Familien, Religionen und Kunst untersuchen. Die nubische Königin Teje (ca. 1396–1338 v. Chr.), Großmutter von Tutanchamun und Mutter des bedeutenderen Pharaos Echnaton, besaß große politische Macht und Einfluss in Ägypten. Königinmütter sind in der afrikanischen Kunst und im Hofleben prominent vertreten, und sie bildete keine Ausnahme. Tejes Vater war ein reicher Beamter und Landbesitzer; ihre Mutter sang in mehreren Tempeln und war vielleicht königlicher Abkunft. Ihr Bruder war Priester des Amun, des widderköpfigen Gegenstücks von Chnum. Tejes Ehemann Amenhotep III. ehrte seine schöne Frau mit zahlreichen Porträts und Tempeln.

Am nördlichen Nil in Gizeh, 20 Kilometer vom Zentrum des heutigen Kairo entfernt, stehen die berühmten Pyramiden des Alten

Königreichs. Eine davon ist die Pyramide des Pharaos Chafra (Chephren – ca. 2558–2532 v. Chr.) aus der vierten Dynastie. Pyramiden mit glatten Seiten waren die Norm, auch wenn das älteste Pyramidengrab, gebaut für Pharao Djoser (2650–2575 v. Chr.) stufenförmig ist. Diese am nördlichen Nil stehenden Pyramiden beeindrucken durch ihre Größe. In Nubien (im heutigen Sudan) war die doppelte Anzahl an – allerdings deutlich kleineren – Pyramiden erbaut worden. Beide Arten von Pyramiden haben jedoch wichtige Verbindungen zu hohlen konischen Schreinen anderswo in Afrika, die Schutz für die spirituellen Kräfte bieten, die das Leben erst möglich machen. Überdachte Pyramiden und Tempelportale erinnern an die primitiven Versammlungsorte der Ältesten. Wie in vielen späteren afrikanischen Bauten weisen die ägyptischen Tempel und Pyramiden ein starkes skulpturelles Element auf. Der für Chephren errichtete Große Sphinx von Gizeh ist die größte monolithische Skulptur der Welt. Mit seiner Ausrichtung nach Osten (zum Sonnenaufgang) und zum Nil nimmt dieses Mischwesen aus Großkatze und Mensch spätere zoomorphe afrikanische Skulpturen und kosmologische Interessen vorweg.

Wissenschaftler debattieren noch heute, wie die Pyramiden erbaut wurden. Riesige Steinblöcke wurden auf Flößen flussabwärts gebracht und auf Holzrollen über Land geschoben. Der Bau erforderte Erdrampen und Flaschenzüge. Für das Grab des Pharao Cheops wurde die Hauptrampe zum Transport der Steine unter der Außenhaut der Pyramide positioniert (eine Pyramide in einer Pyramide). Vielleicht schaute man sich die Technik beim Mistkäfer ab, der in der ägyptischen Mythologie jeden Tag die Sonne über den Himmel schiebt. Diese Käfer rollen die Kugeln mit ihren Eiern mithilfe ihrer Hinterbeine voran. Dass Leben (Eier, Babys) aus scheinbar üblen Formen (Mistkugeln) entsteht, weckte Ideen zu kosmologischen Übergängen, Tod und Erneuerung. Der Mistkäfer – Skarabäus – taucht in der pharaonischen Kunst immer wieder auf, geformt aus Edelsteinen und Gold.

Chnum als der Schöpfergott wird mit langen Widderhörnern dargestellt. Sein Bild taucht schon früh auf und ist bis zum Ende des dynastischen Ägyptens ca. 380 v. Chr. (umseitig) zu finden. Es erscheint in Nubien ebenso wie im christlichen Mittelalter (als ältere Mythologien und Traditionen wiederbelebt wurden). Auch die Berber und andere nordostafrikanische Kulturen besaßen Widdergötter. Chnums Kultort Elephantine (genannt Yebu – Elefant) war ein wichtiger Umschlagplatz für Handelswaren, die auf dem Fluss transportiert wurden. Der Name spiegelt die Bedeutung für den Handel mit Elfenbein und anderen Gütern aus dem Süden und Westen

Ägyptischer Bildhauer
Steinrelief von Chnum
Ägypten , 19. Dynastie,
Neues Königreich,
1292 v. Chr. – 1189 v Chr.
Kalkstein, 46 x 53,5 cm
British Museum, London

Der Gott Chnum half Handwerkern, indem er alles herstellte – von Booten, Leitern und Töpfen bis hin zu Gebäuden. Chnum war entscheidend für die nubische Identität. Sein wichtigstes nubisches Heiligtum, Elephantine, liegt 70 km nördlich der Stelle, an der die Sonne zur Winter- bzw. Sommersonnenwende scheinbar die Richtung wechselt.

wider – Gold, Kupfer, bunte Steine, teure Pflanzenprodukte, dunkles Ebenholz, exotische Tiere und Menschen. Ägypten benötigte die finanziellen Ressourcen und Tribute Nubiens für die Wirtschaft und seine Bauprojekte. Nahe Elephantine gab es wichtige Steinbrüche, in denen u. a. einer der größten Obelisken Ägyptens gehauen wurde. In Auftrag gegeben von Königin Hatschepsut aus der 18. Dynastie, ist dieses unvollendete Monument quasi in der Zeit stehen geblieben.

Wie bereits frühere Pharaonen sandte auch Hatschepsut (reg. 1479–1458 v. Chr.) eine gut organisierte Expedition aus, die neue Handelsverbindungen in das legendäre Land »Punt« am Roten Meer (in Ostafrika oder Arabien) finden sollte. Damit wollte man die nubischen Vermittler ausschalten und direkten Zugang in das Innere Afrikas erlangen. In ihrem Totentempel in Deir el-Bahri illustrieren reich bemalte Wände diese Expedition und ihre Entdeckungen – Gold, Affen, Leopardenfelle und Myrrhensträucher (deren Harz für Heilmittel, Kosmetik, das Weihrauch der Tempel und für Balsamierungsriten verwendet wurde). Auf dem Grab des Senenmut, eines von Hatschepsuts Lieblingen, befindet sich die älteste noch vorhandene Darstellung astronomischer Konstellationen, die zum Planen von Reisen und Zeremonien diente.

Hatschepsuts Expedition brachte eine Königin aus Punt (gegenüber) mit, die ganz untypisch abgebildet wurde. Die Ethnie der afrikanischen Königin ist zwar unbekannt, doch sie wurde als recht dick beschrieben, wie das Bild beweist. Hatschepsut, die nach dem

Ägyptischer Maler
Wandgemälde von Königin Iti, Mitherrscherin von Punt
Grabtempel der Hatschepsut, Deir el-Bahri, Ägypten, ca. 1480 v. Chr.

Künstler hatten viel mehr Freiheiten beim Darstellen von Fremden wie der Königin aus Punt. Wäre sie Ägypterin gewesen, dann hätte sie den Figuren, die vor bzw. hinter ihr gehen, deutlich ähnlicher gesehen – die hintere Person trägt ein Gefäß, auf dem sich das Gold türmt. Mitglieder des pharaonischen Königshauses wären kaum mit so kräftigen Schenkeln, Hintern und Bäuchen abgebildet worden.

Tod ihres Mannes Thutmosis II. Regentin wurde, nahm später die Position des Pharao ein und wurde oft mit Bart und Männerrock dargestellt. Sie war eine der mächtigsten Herrscherinnen Ägyptens. Ihr Nachfolger, ein Neffe, ließ viele ihrer Porträts zerstören.

SPÄTES ÄGYPTEN, PTOLEMÄERZEIT UND WEITERE ENTWICKLUNGEN (1000 V. CHR. BIS 499 N. CHR.)

In der spätägyptischen Ära (ab ca. 750 v. Chr.) gelangten regionale Anführer an die pharaonische Macht. Dies ebnete Nubien den Weg, Ägypten zu übernehmen. Zwischen 1000 und 700 v. Chr. wurde das Land von libyschen, ab ca. 715 v. Chr. von nubischen Herrschern regiert. Sie übernahmen den traditionellen Titel des Pharao sowie Mode und Begräbnisriten. Wie ihre Vorgänger starteten sie riesige Bauprojekte, belebten frühere ägyptische Religionsformen neu und pflegten künstlerische Traditionen, oft im Stil des Alten Reiches.

Die neuen Pharaonen aus dem Süden behielten meist ihre nubischen Namen, die sie um ägyptische Beinamen ergänzten. Die Reihenfolge der Könige ist zwar umstritten, doch zu den bedeutenderen zählen König Schabaka (721–707/6 v. Chr.) und König Taharqa (690–664 v. Chr.) (unten). König Taharqas Skulpturen tragen oft

Widderkopf-Amulette als Verweis auf Amun-Ra, den nun pseudo-monotheistischen Hauptgott. Da militärische Erfolge oft ihm zugeschrieben wurden, stellten mittelalterliche, nubisch-christliche Herrscher den Widdergott oft mit königlichen Insignien dar, eine Tradition aus der meroitischen Zeit, die sich bis zum Niger im Westen verbreitete.

671 v. Chr. wurde die ägyptische Hauptstadt Memphis (das heutige Kairo) von den Assyrern geplündert. König Taharqa musste fliehen. Die 26. Dynastie selbst endete 526 v. Chr. mit einem Bürgerkrieg, gefolgt von der persischen Eroberung Ägyptens im

Ägyptischer Bronzegießer
Figur des Königs Taharqa
Ägypten, 25. Dynastie, 690–664 v. Chr.
Bronze, Höhe 8,5 cm
Staatliches Eremitage-Museum, St. Petersburg

König Taharqas aufrechte Haltung, die starren Augen, die förmliche Schrittstellung und die idealisierte jugendliche Darstellung sind typisch für Abbildungen von Pharaonen. Was diese nubische Königsfigur von früheren ägyptischen Exemplaren unterscheidet, sind sowohl die symbolischen Elemente als auch die subtile Eleganz.

Nubischer Schmuckhersteller
Nubische Krone aus Ballana
Sudan, 370–400
Silber und Edelsteine
Ägyptisches Museum, Kairo

Diese von nobadischen (spätnubischen) Herrschern getragene Krone mit ihren auffälligen Hörnern geht zurück auf ältere religiöse (Chnum/Amun-Ra) und dynastische Formen, greift aber auch christliche und andere Traditionen auf. Am Rand finden sich Verweise auf die kuschitischen Götter Uräus und Horus.

Jahre 525 v. Chr. (die Perser blieben bis 404 v. Chr. an der Macht). Andere Eroberungen hinterließen ihre Spuren, vor allem als der makedonische/griechische Heerführer Alexander der Große (356–323 v. Chr.) im Jahre 332 v. Chr. mit der Hafenstadt Alexandria eine neue Hauptstadt gründete und mit Ptolemaios I. Soter (reg. 305–285 v. Chr.) die griechisch-römische Ära in Ägypten begann. Frühere künstlerische Traditionen dienten dieser Zeit als Inspiration, wie die nubische Krone aus Ballana von 370–400 n. Chr. beweist.

Die Zeit von 330 v. Chr. bis 330 n. Chr. war eine wahrhaft internationale Kunstperiode, die ihre Anstöße aus den Kulten von Gottheiten wie Isis (Göttin der Frauen, Fruchtbarkeit, Ernte und Unterwelt) und ihrem Sohn Horus (umseitig) bezog. Isis ist (als Frau/Schwester) mit Osiris verbunden, der im Nachleben regiert und mit Tod, Wiedergeburt und dem Fruchtbarkeitszyklus assoziiert wird. Laut der Legende erweckt Isis nicht nur ihren ermordeten Ehemann Osiris

Ägyptischer Künstler
Figur von Isis und Horus
Ägypten, Ptolemäische Zeit, 332–330 v. Chr.
Fayence (glasierte Fritte), 17 x 5,1 x 7,7 cm
Metropolitan Museum of Art, New York

Diese der Isis geweihte Figur zeigt die Göttin beim Stillen ihres Sohnes, des Himmelsgottes Horus. Isis-Darstellungen gehen auf das frühe Alte Königreich Ägypten zurück. Durch ihre Rolle als Mutter des Horus wird sie symbolisch zur Mutter des Pharao. Politik und Religion blieben eng miteinander verbunden und selbst die letzte ptolemäische Herrscherin Ägyptens, Kleopatra VII. (51–30 v. Chr.), trug die Attribute der Isis – eine Sonnenscheibe und Hörner.

wieder zum Leben, sondern schützt ihren Sohn und Erben Horus, indem sie ihn in den Sümpfen versteckt, bis er alt genug ist, den Thron zu beanspruchen (und seinen Vater zu rächen). Isis-Darstellungen als stillende Mutter symbolisieren daher Wiedergeburt und Auferstehung, bringen den Gläubigen Gesundheit und helfen den Verstorbenen beim Eintritt in die Nachwelt. Einige dieser Ideen wurden vom Christentum aufgenommen und beeinflussten frühe Darstellungen von Maria und Jesus in Ägypten und anderswo. Die Drei Weisen mit ihren Geschenken von Myrrhe, Weihrauch und Gold (Waren, die oft aus Nubien kamen) zeugen ebenfalls von Verbindungen zwischen ägyptischen und nubischen Ideen und christlichen Traditionen, die aus diesem fruchtbaren afrikanischen Boden und Traditionen im Nahen Osten erwuchsen.

Internationaler Einfluss brachte in Ägypten und der weiteren Region neue Formen hervor. Ein besonders wichtiges Beispiel sind winzige Cippus-Skulpturen, die weit verbreitet waren und wichtige

Ägyptischer Steinmetz
Cippus-Skulptur des Horus
Ägypten, Ptolemäische Zeit,
2.–1. Jahrhundert v. Chr.
Stein, 25,5 x 14 cm
Gesammelt 1771 von James Bruce in Äthiopien
National Museum of Scotland, Edinburgh

Diese winzigen Skulpturen verkörpern die Vorstellungen von Ägyptens reichem Erbe an ritueller Macht, Beschwörungen und Zaubern. Solche Werke schützten oder halfen jenen, denen Schaden oder Veränderungen drohten. Dieses in Äthiopien aufgefundene Objekt beweist, wie weit solche Arbeiten reisten.

Auswirkungen hatten. Häufig findet man ägyptische Schutzgötter wie den Zwergengott Bes neben fisch-/krokodilbeinigen Formen, die eher Sirenen ähneln und auf Krokodilen und magischen Abraxas-Steinen stehen (unten). Hier ringt Horus gefährliche Tiere nieder. Er steht unter Bes (oder einer Gorgonen-haften Figur), siegreich über alles Böse und Gefährliche. Solche Arbeiten enthalten oft auch Rezepte zum Schutz vor dem Bösen, Austreiben von Teufeln oder Heilen. Manchmal diente Wasser, das über die Skulptur gegossen wurde, als Opfer oder hatte heilende Wirkung. Manuskripte aus dieser Zeit enthalten Beschwörungen und Ideen zur rituellen oder körperlichen Verwandlung (zum Schutz und für die Alchemie).

Das Interesse an Regeneration und Transformation setzt sich in der späteren religiösen Kunst fort, wie äthiopischen und koptischen Manuskripten.

All diese politischen Veränderungen führten im Niltal und anderswo zu einem Wandel, vor allem, als Ägypten und Nubien als Macht-

Äthiopische Steinmetze
Stele in Aksum
Äthiopien, 4. Jahrhundert
Kulisse für ein Maryam-Festival mit einer Versammlung von Kirchenpatriarchen und Erzbischöfen

Aksum dominierte den innerafrikanischen und internationalen Elfenbeinhandel; seine Boote beherrschten den Handel auf dem Roten Meer. Im Jahre 525 fasste Aksum unter König Kaleb Fuß im südlichen Jemen und kontrollierte dieses Gebiet fast 500 Jahre lang. In Aksum geprägte Münzen waren sogar in Südindien und an Orten im östlichen Römischen Reich zu finden.

basen ausschieden. Andere Gegenden drängten in dieses Vakuum. Steinmenhire und Obelisken aus dem pharaonischen Ägypten fanden Entsprechungen zum Beispiel im Königreich Aksum (gegenüber). Ab dem ersten Jahrhundert n. Chr. löste Aksum Nubien bei der Kontrolle über die Handelsrouten ab und wurde zur mächtigsten Kraft zwischen dem Römischen Reich und Persien. Im dritten Jahrhundert galt es als eine der drei größten Weltmächte und trieb Handel bis nach Indien und Rom sowie in den heutigen östlichen Sudan, nach Dschibuti und Eritrea.

Aksum erlangte im 6. und 7. Jahrhundert n. Chr. Bekanntheit für seine Felder aus riesigen Steinstelen und Obelisken – mit 33 m gehört dazu der größte jemals in Angriff genommene Obelisk – sowie seine beeindruckenden Gräber und Festungen. Steintüren mit stilisierten Stelen erinnern an die Portale ägyptischer Totentempel. Texte auf Steintafeln sind manchmal in drei Sprachen ausgeführt – Ge'ez (Altäthiopisch), Sabäisch und Griechisch (ab dem 4. Jahrhundert unter König Ezana). Ezana führte in Aksum auch das Christentum ein, wonach statt der Stelen nun Kirchen gebaut wurden. Im 10. Jahrhundert verlor Aksum seine Vorherrschaft, auch wenn die äthiopischen Kaiser weiterhin hier gekrönt wurden. Unter dem Druck des ersten Kalifats und aufgrund veränderter Handelswege, einer Hungersnot im 9. Jahrhundert und dem Angriff der jüdisch-äthiopischen Königin Gudit im Jahre 960 wurde die Hauptstadt Aksums in das Landesinnere verlegt, wo ihre Bewohner und Herrscher Christen blieben. Aksum ist bis heute christlich und viele Rituale finden im Schatten der berühmten Stelen statt.

Die Kunst in Nordafrika spiegelt genau wie die Kunst Aksums eine Kombination aus Formen und Einflüssen wider. Die Einflüsse der Berber setzten sich in der griechisch-römischen und frühen karthagischen Expansion fort und die Kunst behielt ihre afrikanischen Wurzeln. Mosaike aus der römischen Besatzungszeit sind meist bunter als andere und ergänzen die heimische Ästhetik. Das libysche Mosaik aus dem 2. Jahrhundert, ein Meisterwerk aus einer römischen Villa in Zliten (S. 53) zeigt verschiedene Szenen mit römischen Musikern (von denen einige afrikanische Instrumente wie das Xylofon und die Harfe spielen), Gladiatorenkämpfen, Tierkämpfen, Jagden und Schlachten zum Erbeuten von Sklaven. Ringkämpfe haben eine lange Geschichte in Afrika (von Ägypten bis Nigeria, den Senegal und darüber hinaus) und manchmal werden diese Geschehnisse in der Kunst dargestellt. Die Schöpfer des Mosaiks sind nicht bekannt, doch später beschäftigten europäische Mäzene oft afrikanische Künstler, um sich prestigeträchtige Werke für ihr Zuhause fertigen zu lassen. Hätten Berber-Künstler aus der

Römerzeit solche Werke erschaffen können? Waren sie Mäzene oder Zuschauer in der römischen und nachrömischen Zeit? Wir haben ausreichend Beweise für das Interesse der Berber-Völker an Felszeichnungen und ihren Blick für naturalistisch abgebildete Tiere und actionreiche Szenen.

Es gab Herrscher berberischer Abkunft – wie etwa Juba II. (ca. 48 v. Chr. bis 23 n. Chr.), der als Kind mit Julius Caesar nach Rom gelangte. Nachdem er Griechisch und Latein gelernt hatte, schrieb er Bücher über Geschichte und Malerei, aber auch Naturgeschichte. Außerdem entsandte er Expeditionen auf die Kanarischen Inseln und nach Madeira. Zu den bekannten Nordafrikanern, die die Weltgeschichte beeinflussten, gehörte der Militärführer Hannibal (247–183/181 v. Chr.), geboren in der phönizischen Hafenstadt Karthago, der mit einem Heer und Kampfelefanten die Alpen überquerte. Der heilige Augustinus (354–430 n. Chr.) und mehrere frühe Päpste kamen aus afrikanischen Berber-Orten, wo sie die christliche Lehre in Afrika und anderswo formten. Auch die Begründer der muslimischen Dynastien der Almoraviden und der Ziriden waren Berber. Sie prägten das muslimische Nordafrika, Spanien und Sizilien. Einstmals überwiegend christliche Gemeinschaften in Nordafrika traten zum Islam über und im Niltal nutzte selbst die nicht arabisch-sprechende Berber-Bevölkerung (darunter auch viele, die christlich blieben) schließlich Arabisch als neue Lingua Franca.

Vom 5. Jahrhundert v. Chr. bis zum 7. Jahrhundert n. Chr. stieg der Staat des Berber-Volkes der Garamanten in der damals weniger trockenen Sahara zur Macht auf. Afrikanische Regionen blieben als Lieferanten von Nahrungsmitteln und Handelsgütern wie Holz und Färbemitteln für Rom von großer Bedeutung. Auf ihrem Höhepunkt Mitte des 2. Jahrhunderts erstreckte sich die Macht der Garamanten über fast 181.000 Quadratkilometer. Mithilfe eines komplexen Bewässerungssystems (sogenannter *Qanate* oder *Foggaras*), für das Tunnel und Schächte gegraben wurden, konnten die Einwohner Wasser tief aus der Sahara beziehen. Dieses einzigartige Bewässerungssystem (das auch von späteren Berbern benutzt wurde) unterstützte eine große Bevölkerung und eine landwirtschaftlich ausgerichtete Wirtschaft. Pyramiden aus salzhaltigem Ton, die nubischen Formen ähneln, dienten als Gedenkstätten und erinnern – wie das Grabmal von Juba II. – an das Erbe Ägyptens und anderer afrikanischer Traditionen. Im Jahre 569 konvertierte der Herrscher der Garamanten, die an das byzantinische Handelsnetz angebunden waren, zum Christentum.

Im Süden, auf dem Jos-Plateau im heutigen Nigeria nördlich des Zusammenflusses von Niger und Benue, entstand die kunstsinnige

Römische oder Berber-Mosaikkünstler
Teile eines Mosaiks aus einer Villa in Zliten
Libyen, 2. Jahrhundert
Archäologisches Museum Tripolis

Garamanten-Berber, die häufig militärische Zusammenstöße mit den römischen Kolonialkräften hatten, waren auch wichtige Handelspartner, die Weizen, Salz, wilde Tiere und Gefangene gegen ausländische Waren tauschten – Olivenöl, Wein und Keramik. Um 668 konvertierten die Garamanten unter dem Druck der islamischen Eroberer zum Islam.

Nok-Kultur. Sie wurde um etwa 1500 v. Chr. begründet und erlebte ihren Höhepunkt, als die griechischen Ptolemäer die ägyptischen Pharaonen im Niltal ablösten. Die fantastischen Nok-Terrakotta-Arbeiten (oben) entstanden zwischen 500 v. Chr. und 200 n. Chr., als Eisen nicht nur für Werkzeuge für die Landwirtschaft, die Jagd und andere Arbeiten, sondern auch für die dekorative Kunst verwendet wurde. Eisen, Elfenbein und andere Handelsgüter wurden vermutlich nach Norden durch die Sahara, nach Süden in das

Nok-Keramikkünstler
Nok-Gefäßständer mit Karyatiden
Nigeria, 500 v Chr. bis 200 n. Chr.
Terrakotta, Höhe 50 cm
Pavillon des Sessions, Musée du Louvre, Paris

Dieser Gefäßständer zeigt mehrere Gruppen von Menschen, möglicherweise bei einem Fest am Hof: eine sitzende Mutter mit Kind, Musik (große Trommeln), eine Prozession, ein Festmahl (eine Person mit einem Mörser, eine andere hält einen geschlossenen Behälter) und möglicherweise die Darbringung von Tributen (eine Person trägt lange Balken). Die erhobenen Arme der größeren männlichen und weiblichen Figuren im Stil von Karyatiden lassen eine mögliche Verwendung als Ständer für ein Gefäß vermuten, vielleicht soll aber auch eine Gebetsgeste während einer Zeremonie dargestellt werden.

Niger-Benue-Gebiet und nach Osten in das Niltal exportiert. Obwohl Nok eine Eisenzeitkultur war, wurde Stein weiterhin verwendet – in Steinäxten und Mahlsteinen, aber auch in Form von Perlen aus Quarz, Karneol, Jaspis und Chalzedon. Roter Ocker diente als Farbe zum Verzieren des Körpers.

Nok-Terrakotta-Skulpturen wurden in Wulsttechnik hergestellt. Details kerbte man in den feuchten Ton, der dann mit Schlicker überzogen und geglättet wurde, bevor man ihn brannte. Motive waren männliche und weibliche Figuren in verschiedenen Posen, oft mit auffälligen Frisuren, Schmuck und Kleidung. Man schuf aber auch Tiere (Elefanten, Katzen und Schlangen) sowie zoomorphe Menschen oder Menschen mit angeborenen Gebrechen oder Krankheiten. Manche Figuren werden bei Aktivitäten gezeigt, etwa im Kanu, bei der Jagd mit Schleudern oder Bögen und beim gemeinsamen Festmahl. Die Kanudarstellungen deuten auf den Transport und (überregionalen) Handel auf den Flüssen Niger oder Benue hin. Interessanterweise wurde eines der größten Kanus südlich der Sahara (geschnitzt aus einem riesigen Baumstamm) im Norden Nigerias ausgegraben. Es entstand im 1. Jahrtausend v. Chr. und betont die Bedeutung des Flusshandels – genau wie das Kanu aus der Zeit 6500–5950 v. Chr., das bei dem nordnigerianischen Ort Dufana entdeckt wurde. Eine hier gefundene Muschel beweist, dass die Nok-Handelskontakte vermutlich bis zum Atlantik reichten.

Die gegenüber gezeigten Szenen passen zu Formen, die sowohl in den königlichen afrikanischen Traditionen als auch den eher staatenlosen Gemeinschaften zu finden sind. Angesichts der Ähnlichkeiten der Nok-Kunst über große zeitliche und räumliche Entfernungen hinweg sowie der auffälligen Gestaltung von Frisuren und Schmuck könnte man ein überregionales Nok-Königtum oder einen vergleichbaren hierarchischen Kontext vermuten. Anführer machten sich die neue Eisentechnologie zu eigen, um Landwirtschaft, Jagd, Krieg und Handel voranzubringen – was Hierarchien und Kontrolle häufig noch verstärkte.

Einige der Nok-Terrakotta-Skulpturen, wie dieser Elefantenkopf, deuten auf die Jagd nach Elfenbein hin. Manche Wissenschaftler glauben, dass dies die frühe Staatenbildung in Afrika förderte, da Jäger aus verschiedenen Gemeinschaften sich zusammentaten, um Bergpässe für die Jagd zu blockieren. Diese Jäger teilten dann auch die Beute gemeinsam auf. Das Elfenbein ging an den Anführer, der Körper dagegen an die teilnehmenden Gemeinschaften. Details in den Nok-Kunstwerken, die von Reichtum und individueller Identität künden, scheinen dies zu unterstreichen. Zentralafrikanische Königreiche (Bamum, Kuba und Luba) nutzten ebenfalls solche vielfälti-

gen Frisuren und Dekorationen. Die Hauptstädte, oft aus vergänglichen Materialien erbaut, wechselten oft den Standort.
Im Süden, im Benue-Flusssystem und östlich des Niger befindet sich zwischen dem heutigen Nigeria und Kamerun der Oberlauf des Cross Rivers. Hier standen etwa 30 Steinkreise (mit ungefähr 300 einzelnen Steinen), von denen viele heute noch vorhanden sind (gegenüber). Diese Skulpturen (*Akwanshi*, »Ahnensteine«) sind zwischen 30 cm und 1,80 m hoch und datieren auf das 3. bis 16. Jahrhundert. Ihre Formen lassen an stilisierte Menschen mit ausgeprägten Gesichtern, Nabeln und dekorativen Körpernarben denken. Auf einigen gibt es symbolische Schriftzeichen, *Nsibidi*, die Werte der Gemeinschaft ausdrückten. Ähnliche piktografische Formen tauchten in Riten zur Rechtsprechung auf, die von den Männern der »Leopardengesellschaft«, den sogenannten Ekpe, ausgeführt wurden. Dieses ideografische Schreibsystem konzentrierte sich mehr auf philosophische und gesellschaftliche Werte als auf die gesprochene Sprache wie die Schriftformen der libyschen Berber.

Das Cross-River-Gebiet besitzt eine breitere historische Bedeutung. Hier entstand der Benue-Kongo-Zweig der Niger-Kongo-Sprachfamilie. Die Gegend gilt als Ursprung der 400 Bantu-Sprachen und Technologie-Cluster, der sich etwa 2000 v. Chr. nach Süden in den Kongo und benachbarte Regionen sowie nach Osten verlagerte. Bantu diente möglicherweise als Verkehrssprache für Handel/Wirtschaft (vergleichbar dem Afro-Nilotischen und Kisuaheli-Bantu) für Menschen, die neue Technologien – Eisenbearbeitung, Keramik und Landwirtschaft – und dauerhaftere Siedlungsformen in Gegenden gebracht haben, die lange mit anderen Bevölkerungsgruppen und Wirtschaftsformen assoziiert wurden – wie den Mbuti (Pygmäen) und anderen. DNA-Beweise zeugen von einer Vermischung der Bantu-Neuankömmlinge mit den einheimischen Siedlern, statt einer groß angelegten Migration, die die lokale Wirtschaft umgestaltete und andere kulturelle Elemente mitbrachte. Die Bantu-Sprachen unterstützten diese Verwandlung, doch die Kunst des Kongo- und Bantu-Bereiches zeigt eine bemerkenswerte Vielfalt an Formen (siehe Kapitel 8). Da Bantu-Sprecher auch bestimmte medizinische und rituelle Konzepte teilten, gelangten auch diese Elemente in das kulturelle Repertoire. Anführer und Kulturheroen der Gemeinschaften waren oft die Schmiede. Und trotz der Entstehung von bäuerlichen Gemeinschaften und Palastzentren war Mobilität weiterhin von entscheidender Bedeutung.

Cross-River-Bildhauer
Figürlicher Monolith aus dem Cross-River-Gebiet
Ejagham, Nigeria,
3. bis 16. Jahrhundert
Stein, 57 x 22 x 25 cm
British Museum, London

Einige der Designelemente dieser Steinmenhire, die noch lange nach ihrer Herstellung in Gebrauch waren, finden sich auch auf späteren Masken der Ejagham und anderer Cross-River-Völker sowie auf Kunstwerken der benachbarten Igbo – Textilien, Kalebassen und Wandgemälden, die Botschaften vermittelten.

WICHTIGE IDEEN

- Afrikanische Kunstformen befassen sich vor allem mit Fragen der Kosmologie, der Himmelsbewegungen und des Regens.
- Wilde und gezähmte Tiere sind wichtige Quellen des Symbolismus.
- Als die Macht der Pharaonen des Niltals schwand, entstanden im Süden und Westen neue regionale politische und Handelszentren.
- Weltreligionen – darunter Christentum und Islam – spielten schon früh eine Rolle und wurden durch Afrika geprägt.

WICHTIGE FRAGE

- Wie veränderte sich die Herstellung von Kunst, als neue Technologien die Entstehung dichter besiedelter Städte erlaubten?

DAS MITTELALTER: EIN GOLDENES ZEITALTER (500–1449)

-

Durch Kommen und Gehen
webt ein Vogel sein Nest.

-

Sprichwort aus Ghana

C. SASSOON 61

Caroline Sassoon
Gemälde der Grabrekonstruktion des Archäologen Thurstan Shaw mit sitzendem Herrscher und Grabbeigaben
Igbo-Ukwu, Nigeria, 1966
Gouache, 50,8 x 35,6 cm

Igbo-Priesterherrscher überwachten die rituellen, wirtschaftlichen und politischen Belange der Nri-Untergruppe der Igbo. Die hier oder in einer vergleichbaren Lagergrube vergrabenen Gaben waren bemerkenswert vielfältig und technisch meisterhaft ausgeführt, wie etwa die ersten westafrikanischen Bronzegüsse. Kupfer, Eisen und andere Metalle stammten wahrscheinlich aus nahegelegenen Minen.

Das Mittelalter war für Afrika eine Zeit der Reisen und des Handels über den Kontinent und darüber hinaus. Die afrikanische Kunst erlebte ein Goldenes Zeitalter, in dem künstlerische Brillanz auf Gold und andere weit gehandelte Güter traf. Große Handelszentren und Staaten entstanden, man errichtete monumentale Bauwerke aus Lehm, Stein und anderen Materialien und nutzte innovative Technologien, wie den Metallguss im Wachsausschmelzverfahren. Manche der mittelalterlichen Bronzen (ein Begriff für alle Skulpturen dieser Zeit aus Kupferlegierungen) gehören zu den schönsten überhaupt und übertreffen technologisch die Werke des alten Griechenlands und Roms, des Europas der Renaissance und Asiens. Afrika gehörte zu den reichsten Gegenden der Welt und dies spiegelte sich in künstlerischen Auftragsarbeiten und der Kreativität gleichermaßen. Mit dem Entstehen von Christentum und Islam, die beide eine starke Basis und großen Einfluss in Afrika hatten, prägen afrikanische Werte und Interessen religiöse Vorstellungen und Ausdrucksformen. Das Mittelalter fand sein unzeitiges Ende mit dem Schwarzen Tod (1346–1353), der nicht nur Asien, den Nahen Osten und Europa erreichte, sondern auch im Niltal, in Nordafrika und im Inneren Afrikas Tod und damit verbundene wirtschaftliche und gesellschaftliche Verheerungen mit sich brachte.

DAS GEBIET DES NIGER-BENUE-ZUSAMMENFLUSSES

Zu den pulsierendsten Gegenden dieser Zeit gehörten die Zentren im Niger-Benue-Gebiet im heutigen Nigeria. Hier bestand vom 9. bis 15. Jahrhundert die Igbo-Zivilisation und fand ihren Ausdruck in bemerkenswerten Kunstwerken (gegenüber). Eine der Fundstätten in Igbo-Ukwu diente als Grabstätte für einen Priesterherrscher, der mit den Nri assoziiert wird. Der Priesterherrscher hatte die göttliche Autorität über die Bevölkerung, vergleichbar vielleicht mit den nubisch-christlichen Priesterherrschern am südlichen Nil. Die Igbo-Ukwu-Kunst umfasst Porträtskulpturen, Formen wilder und domestizierter Tiere, Altarstände, Schmuck und Behälter, darunter ein Gefäß mit einer Seilverzierung (umseitig). Vergleichbare Beispiele finden sich in steinernen Wassergefäßen aus dem Niltal. Goss man Wasser in das Gefäß, setzte sich Schmutz am Boden ab. Das verknotete Seil diente als Tragehilfe und Schutz. Das Igbo-Ukwu-Werk steht zwar eindeutig in dieser Tradition, ist als Guss aber dennoch einmalig – es beweist, dass weit gereiste Ideen neue Formen annehmen können. Genau wie bei der figürlichen Kunst fließen hier technische, materielle, ästhetische und nutzungsbedingte Faktoren ein, die man anderswo nicht findet.

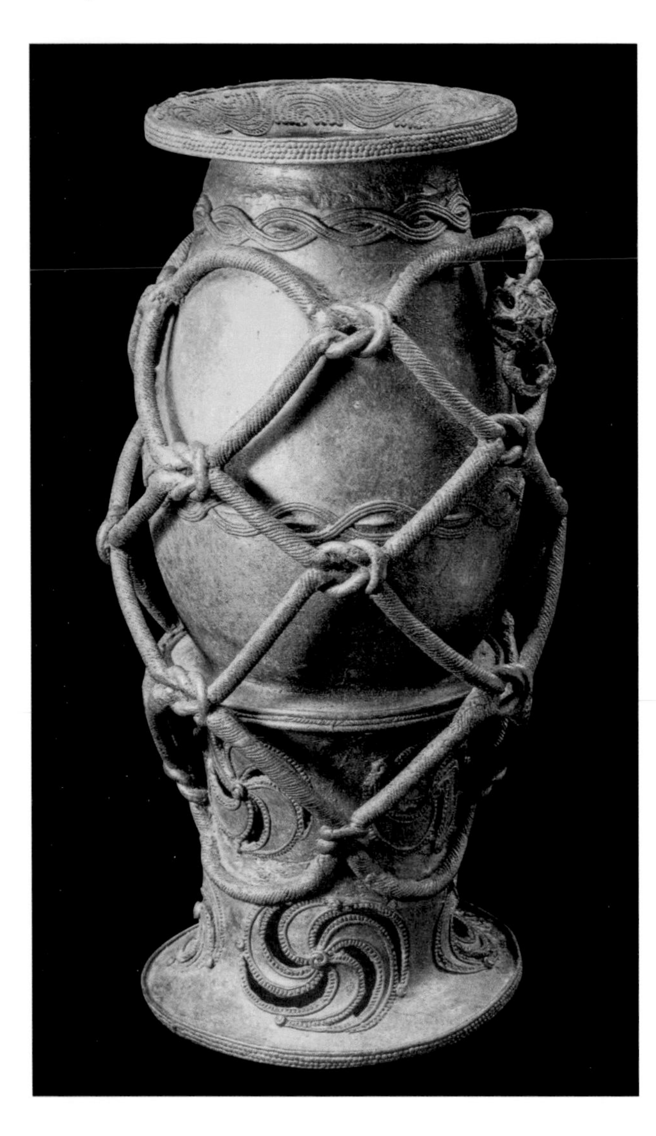

Igbu-Ukwu-Bronzegießer
Von Seilen umfasstes Gefäß auf einem Fuß
Igbo Ukwu, Nigeria, 9.–13. Jahrhundert
Guss aus Kupferlegierung, Höhe 20,3 cm
Nigerian National Museum, Lagos

Igbo-Ukwu-Bronzen weisen aufwendige Details auf, die durch geometrische und Insektenmotive ergänzt werden. Dieses Gefäß ist ein Werk von erstaunlicher Komplexität. Die in einem Stück gegossene Arbeit besteht aus einem runden Topf, der in einem überkreuzt verknoteten Seil gesichert ist und auf einem mit dekorativen Durchbrüchen gearbeiteten Ständer ruht.

Tausende von Perlen aus Glas und Karneol (mehr als 165.000 Stück – manche einfarbig, andere gestreift), die in Igbo-Ukwu gefunden worden sind, wurden lokal hergestellt oder von weither im Niltal und möglicherweise sogar aus Indien importiert. Manche dieser Perlen besitzen die gleichen chemischen Eigenschaften wie Perlen der mittelalterlichen Ife-Yoruba. Viele Igbo-Gemeinschaften sind heute um ein Titelsystem herum organisiert, das Nri, bei dem die Ältesten nach einem siebenjährigen Interregnum einen neuen Anführer wählen. Der Eze Nri gewann durch eine symbolische Reise, bei der er sein Zepter erhielt und die wichtigsten Schreine und Gottheiten besuchte, übernatürliche Kraft. Am Ende des Ritus standen symbolischer Tod und Wiedergeburt. Die Gesichter des Eze Nri, seiner Tochter und adliger Anführer trugen charakteristische diagonale Narben (sogenannte *Ichi*). Sie wurden als rituelle Reinigung beschrieben und ehrten sowohl die Sonne (oder den Mond) als auch die Erdgöttin Ala. Der Eze Nri hatte die Gerichtsbarkeit inne und führte Zeremonien zum Stärken der Harmonie der Gemeinschaft durch. Er läuterte die Erde an Orten, an denen Verbrechen geschehen waren, und betete um reiche Yams-Ernten. Während der jährlichen Nri-Feste brachten Gesandte Tribute als Zeichen der Treue und erhielten dafür Segen und Medizin für die Fruchtbarkeit der Felder und andere Wohltaten.

Das Ife-Yoruba-Zentrum im Nordwesten des Igbo-Reiches hat seine eigenen Bronzeguss-Traditionen. Der Ife-Herrscher (der Ooni, regional einst auch Ogane genannt) war genau wie der Eze Nri ein religiöser und politischer Anführer. Besonders berühmt ist der mittelalterliche Ife-König Obalufon II. (ca. 1300). Die lebensgroße gegossene *cire-perdu*-Maske (unten), die Obalufon II. darstellte, wurde bis Mitte des 20. Jahrhunderts im Krönungsschrein des Palastes aufbewahrt und befindet sich nun im neu gebauten

Ife-Bronzegießer
Ife- (Yoruba-) Obalufon-Maske
Nigeria, ca. 1300
Kupfer,
Höhe 33 x 17,4cm
Nigerian National Museum, Lagos

König Obalufon II. gilt als Gott der Bronzegießer, der Textilien und der guten Herrschaft der Yoruba. Obalufon, der in dieser Maske personifiziert ist, soll die Wirtschaft gestärkt, Ifes Handelsnetz erweitert und sicheres Reisen ermöglicht haben. Er gründete den Ogboni-Bund, der sich mit Handelsfragen befasst, und baute einen neuen Palast und eine Stadtmauer mit bemannten Toren zum Eintreiben von Steuern und zum Schutz der Bewohner.

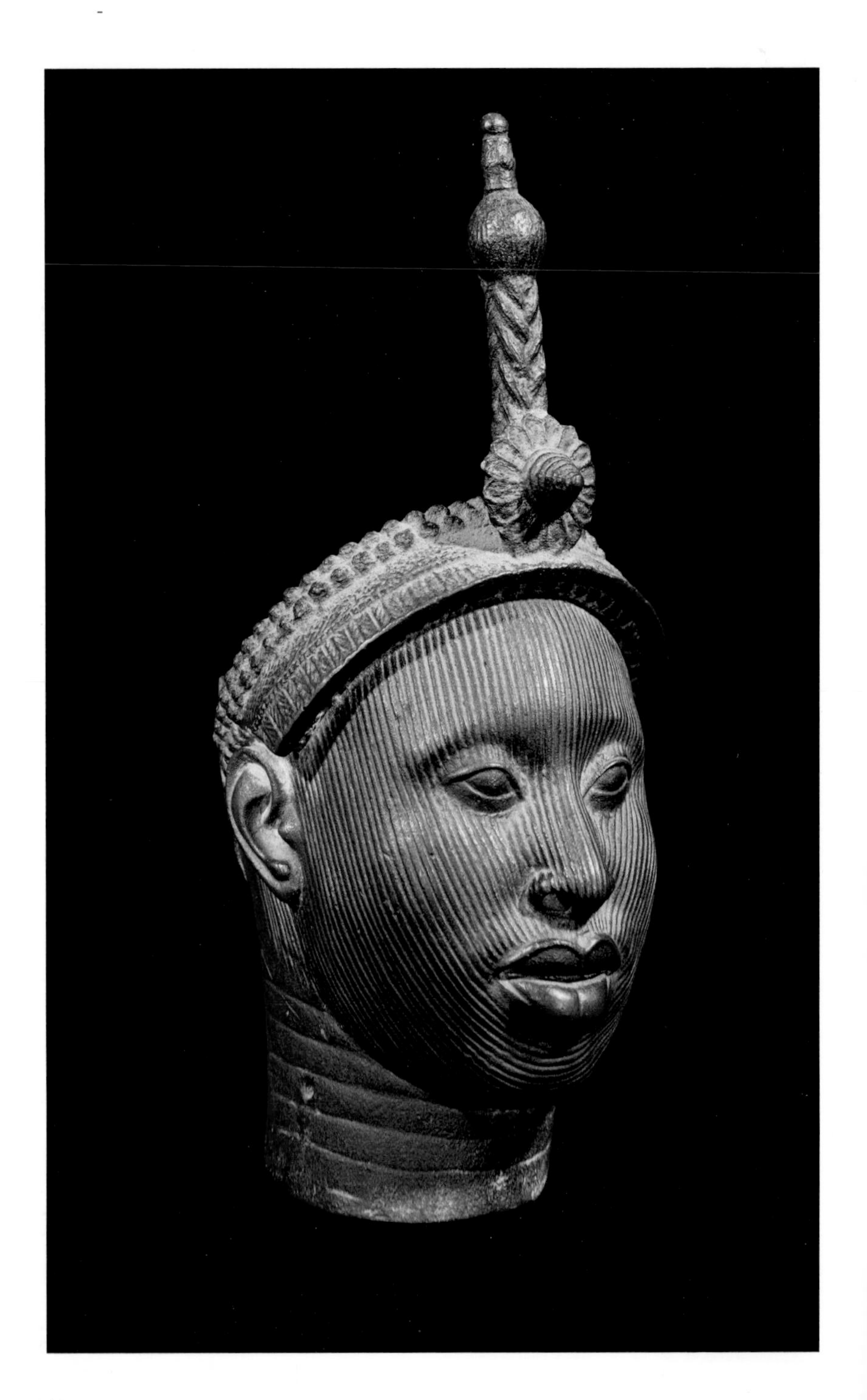

Ife-Bronzegießer
Ife- (Yoruba-) Olokun-Kopf
Nigeria, ca. 1300
Kupferlegierung,
Höhe 33,9 cm
Nigerian National Museum, Lagos

Olokun trägt hier eine aufwendige, mit Perlen besetzte Krone, wahrscheinlich mit lokal hergestellten Glasperlen. Die berühmten zweifarbigen Perlen der Ife ändern im Sonnenlicht ihre Farben (von Blau zu Grün zu Gelb). Diese Eigenschaft ist mit Olokuns Macht verbunden. Einige dieser Perlen erinnern an Igbo-Ukwu-Formen und wurden bis nach Timbuktu in Mali gehandelt.

Palastmuseum. Laut der mündlichen Überlieferung kam Obalufon II. aus einer Dynastie, die sich über lokale Königslisten bis ins 8. oder 9. Jahrhundert verfolgen lässt. Unter seinem Patronat schufen Künstler viele der erstaunlichen Ife-Bronzen und -Terrakotten.

Diese Obalufon-Maske wurde aus fast reinem Kupfer gegossen, genau wie etwa die Hälfte der 16 lebensgroßen Metallköpfe, die er zu Ehren wichtiger Ife-Obas (Häuptlinge) fertigen ließ. Ihr fehlen die senkrechten Gesichtsmarkierungen – in der zweiten Ife-Dynastie war diese Praxis verboten worden. Die Yoruba führen ihre Herkunft auf dasselbe Gebiet am Zusammenfluss von Niger und Benue zurück wie die Igala, wie die senkrechten Markierungen an einigen der Igala-Masken beweisen. Die kupferne Ife-Maske (ohne Gesichtsmarkierungen) erlaubte es dem Herrscher, bei zeremoniellen Anlässen quasi anonym zu erscheinen, um zu zeigen, dass bei Krönungen und Ritualen das Amt über der Einzelperson stand. Die Maske besaß waagerechte Schlitze für die Augen. Löcher oben am Kopf dienten zum Festbinden der perlenbesetzten Krone, am Kinn konnte ein symbolischer Bart befestigt werden (dieser symbolisierte männliche Überlegenheit und Status). Ein Ife-Bericht behauptet, diese Maske sah so lebensecht aus, dass ein Palastbeamter damit den König verkörperte und seine Regentschaft verlängerte; als dies aufflog, verloren sowohl der Nachahmer als auch der Künstler ihr Leben.

-

Entscheidungen über den Stil von Kunstwerken haben Folgen.

-

Einer der bemerkenswertesten Aufträge Obalufons II. war eine Gruppe lebensgroßer Bronzeköpfe im Stil seiner Maske. Diese ehrten mächtige Ife-Häuptlinge (Oba – ein Yoruba-Wort für König) unter der Autorität des Ooni (Ife-Herrscher) sowie weitere wichtige Anführer und Gottheiten. Diese als Gruppe geschaffenen Köpfe erinnern an die zwei dynastischen Abstammungslinien – die vergangene, die Obalufon II. voranging, und die gegenwärtige, die er nach seiner Rückkehr aus dem Exil begründet hatte. Der Olokun-Kopf (gegenüber), eine der ersten Ife-Arbeiten, die sich auf eine Dynastie bezieht, verkörpert den Gott der großen Wasser (Flüsse, Seen und Ozean), des Reichtums und des Wachstums. Mündliche Berichte setzen Olokun auch mit König Obalufons Finanzminister gleich. Vorn an der Krone befindet sich ein Rosettenmedaillon, das ebenso wie die senkrechten Gesichtsmarkierungen Figuren der ersten Dynastie identifiziert. Die waagerechten Halslinien sind Schönheitsmale; Löcher unten am Hals erlaubten das Befestigen des hohlen Kopfes an einer Stütze aus Holz oder Metall. Diese Skulptur wurde lange im Olokun-Schrein von Ife aufbewahrt, wo man dem Gott Glasperlen als Opfer für Kinder, Reichtum und andere Gaben darbot. Nach den jährlichen Ritualen, bei denen das Werk poliert und zeremoniell bekleidet wurde, begrub man den Kopf wieder im Olokun-Hain. Dies blieb so bis ins frühe 20. Jahrhundert hinein, als der deutsche Ethnograf Leo Frobenius versuchte, ihn zu kaufen. Nach dem Entscheid eines Kolonialgerichtes blieb er in Nigeria und wird heute im Nationalmuseum ausgestellt.

Obalufon II. ließ diese Werke nach seiner Rückkehr zur Macht fertigen (nachdem sein Rivale Oranmiyan ihn zuvor vertrieben hatte). Während seiner zweiten Regentschaft schuf Obalufon II. einen neuen Stadtplan und erbaute neue Schreine zu Ehren der Anführer auf beiden Seiten, während er eine zweite dynastische Ära einleitete, die mit dem mystischen Anführer (der Gottheit) Odudua verbunden war. Obalufon II. gründete den Ogboni-Bund (in Ife und Ijebu auch Osugbo genannt) aus hochrangigen Ältesten, der die Aufgabe hatte, die Straßen zu sichern, Recht zu sprechen und Verbrechen zu bestrafen. Die Ogboni wählten auch den neuen Yoruba-König aus einer Gruppe passender Kandidaten. Im Ernstfall konnte der Bund einen Herrscher seines Amtes entheben. Ogboni-Mitgliedszeichen bestanden aus einem Skulpturenpaar (*Edan* Ogboni) aus Bronze. Solche Figuren sind oben oft mit einer Kette verbunden; Eisenspitzen, die in den Boden getrieben wurden, erlaubten es, die Skulpturen hinzustellen, sodass sie Kraft von Odudua (dem Yoruba-Erdgott und dem Schutzgott der neuen, zweiten Ife-Dynastie) ziehen konnten. Dieser Gott wird im *Edan* durch das Tonmodell verkörpert, das im Werk verbleibt.

Ife, ein reiches, landwirtschaftlich geprägtes Zentrum, das durch Quellen und Bäche bewässert wird, die die Stadt umgeben, beherrschte ein großes Netz aus Stadtstaaten vom heutigen Nigeria bis Togo. Viele von ihnen besaßen Terrakotta- und Steinpflaster, das an byzantinische Orte erinnerte. In diesem Goldenen Zeitalter zeichnete sich die bildhauerische Kunst Ifes durch ihren idealisierten Naturalismus (mit perfekten und relativ jungen Gesichtszügen) und mandelförmige, geschminkte Augen aus. Der bemerkenswerte Naturalismus veranlasste Frobenius im Jahre 1910 zur Entwicklung seiner Atlantis-Theorie, in der er behauptete, die Arbeiten seien antiken griechischen Ursprungs. Dabei sind sie ganz eindeutig von Ife-Künstlern aus lokal vorhandenen Materialien gefertigt, auch wenn Kontakte in das koptisch-nubische Nil-Gebiet und das Eintreffen entsprechender Kunstwerke sicher neue Formen und Stile, wie etwa Widderkopf-Anhänger inspiriert haben. Stil und Können der Ife sind in jedem Kontext unvergleichlich.

Ife hielt enge Verbindungen zu Tada, der am Niger gelegenen Hafenstadt, in der mehrere mittelalterliche Yoruba-Figuren gefunden wurden. Die Tada-Skulpturen sind eng mit dem Handel verbunden. Zu den aus Kupfer und Kupferlegierungen gegossenen Skulpturen gehören ein Elefantenkalb (dies erinnert an den Elfenbeinhandel), zwei Strauße (Eier und Federn deuten ebenfalls auf den internationalen Handel hin), der bereits erwähnte Priesterherrscher, eine stehende Ogboni-Figur, eine größere, sitzende Ogboni-Skulptur (vom selben Künstler wie die Ife-Obalufon-Masken) und ein kleinerer stehender Mensch mit einem Stock, auf dem sich ein Ring befindet.

Die Sicherheit im Niger-Benue-Gebiet war entscheidend für den Handel. Der mächtige Ogboni-Bund aus Ife spielte auch in Tada eine Rolle, wie die Kupferfigur aus dem 14. Jahrhundert (unten) beweist, deren Hände die traditionelle Ogboni-Geste (die linke über der

Bronzegießer-Gilde des Ogboni-Bundes der Yoruba
Yoruba-Ogboni-Figur
Aufbewahrt in einem Schrein in Tada, Nigeria, Mitte des 14. Jahrhunderts
Kupferguss,
Höhe 55 x 22 cm
Nigerian National Museum, Lagos

So wie diese Figur zeigen einige der *Edan*-Ogboni-Skulpturen die typische Geste der Ogboni-Mitgliedschaft, bei der die linke Faust über der rechten ruht. Arbeiten wie diese (sogenannte Onile) kennzeichneten auch die Gründung neuer Yoruba-Orte und künden von der wichtigen Rolle, die der Ogboni-Bund für sicheres Reisen, Rechtsprechung und die lokale Herrschaft spielte.

rechten Faust) zeigen. Die Verbindung der Figur zu den Ogboni und Obalufon zeigt sich auch in ihrer Herstellungstechnik.

Diese große Figur aus einem Heiligtum in Tada (siehe Umschlag) wurde für Zeremonien regelmäßig zum Fluss getragen, gewaschen und poliert, was vielleicht zum Verlust ihrer Unterarme führte. Man glaubte, dass diese Skulpturen über einen legendären Vorfahren des mit den Yoruba verwandten Volkes der Igala namens Tsoede in die Gegend gelangt seien. Vorstellungen über einen legendären früheren Herrscher sind in Afrika weit verbreitet. Das Tada-Heiligtum mit seinen Skulpturen stand vor der britischen Kolonialisierung Ende des 19. Jahrhunderts unter der Kontrolle der mit den Nupe verbundenen Kede. Die Kolonialverwaltung bemühte sich, die historischen Kunstwerke der Region (Tada, Igala, Ife, Igbo Ukwu und andere) in Museen zu bringen.

MALI UND MAROKKO

Das Mali-Reich war im Mittelalter auf der Höhe seiner Macht. Dieser Hauptkonkurrent Ifes wurde Anfang des 14. Jahrhunderts von Kankan Mansa Musa (reg. ca. 1312 bis ca. 1337) regiert. Wir finden in dieser Region faszinierende Terrakotta-Skulpturen (gegenüber), die oft aus dem Binnendelta des Niger (nahe Djenné) stammen. Sie wurden zwischen dem 11. und dem 17. Jahrhundert gefertigt, aber leider oft heimlich von ihren Originalfundorten entfernt und verkauft, sodass eine archäologische Analyse von Kontext und Bedeutung unterblieb. Eine der wissenschaftlich ausgegrabenen Figuren befand sich in einer Nische einer Residenz, sodass eine rituelle Funktion naheliegt. Oft stellten sie Personen in verschiedenen Posen dar – stehend, sitzend, gebückt oder kniend, einzeln oder paarweise, häufig mit Schmuck, Lendenschurzen, markanten Frisuren geschmückt. Die meisten wurden vor dem Brennen mit rotem Schlicker bestrichen; manche tragen Modellfiguren in ihrem Inneren. Reiter künden nicht nur von Reichtum und Status, sondern auch von der Bedeutung der Kavallerie bei der Expansion des Staates – seine Fläche war fast so groß wie zwei Drittel des heutigen Frankreichs. Außerdem erbeutete man wichtige Güter und Sklaven, die entweder Arbeiten in Landwirtschaft oder Militär ausführten oder auf Märkten in Nordafrika und Europa verkauft wurden. Andere Terrakotta-Figuren aus dieser Zeit zeigen krankhafte Schwellungen und wurden für indigene oder islamische Heilpraktiken verwendet.

Während seiner Pilgerfahrt nach Mekka freundete sich Kankan Mansa Musa mit dem in Granada geborenen Dichter Es-Saheli

Boso- oder Soninke-Keramikkünstler
Reiterfigur
Djenné, Binnendelta des Niger, Mali, 11.–14. Jahrhundert
Terrakotta, 44 x 17 x 30 cm
Nelson-Atkins Museum of Art, Kansas City

Diese Reiterfigur stellt wahrscheinlich einen Herrscher, Häuptling oder Militärführer dar. Pferde spielten auch beim Austausch von Sklaven eine Rolle, etwa so, wie man Salz gegen Gold tauschte.

an, der sein Hofarchitekt wurde und den Bau von Moscheen in Timbuktu sowie der königlichen Hauptstadt, vermutlich Djenné, beaufsichtigte. Djenné war das kommerzielle Zentrum und Heimat vieler reicher Händler. Seine inselartige Lage – einen Großteil des Jahres von den Flüssen Niger und Bani umschlossen – bot ausreichend Wasser für eine große Bevölkerung und schützte zugleich vor Angriffen. Zeitgenössische Beschreibungen sprechen von einem »Insel«-Zentrum namens Bny oder Bani (alternativ Byty

oder Bini/a), was für die Lage am Fluss Bani spricht. Angeblich starb Mansa Musas Vorgänger, als er mit einer Bootsflotte und vielen Männern einen breiten See mit einer starken Strömung überquerte. Dies geschah vielleicht weiter östlich in dem gefährlichen, durch Katarakte bestimmten Gebiet am Niger-Benue-Zusammenfluss und nicht auf dem Atlantik, wie manche Wissenschaftler meinen.

Djenné, Heimat der Soninke- und Bozo-Völker, war schon lange ein wichtiges Handelszentrum und gehört zu den ältesten Städten südlich der Sahara. Seine Gründung erfolgte etwa um 250 v. Chr. bzw. um 1000 für die aktuelle Stadt. Sowohl in Djenné als auch in Timbuktu waren Genealogien wichtig und wurden mündlich, auf den Mauern von regelmäßig neu gestrichenen Gebäuden oder (im Fall von Timbuktu) in Manuskripten weitergegeben. Abstammung (und Vorfahren ganz allgemein) sind wichtiger Bestandteil sowohl der islamischen als auch der afrikanischen Traditionen. Im Islam ist es oft die Verbindung zu Mohammed, seiner Familie oder seinen frühesten Nachfahren – diese Beziehungen werden durch die Namen einer Person definiert. In Mali gab es zu dieser Zeit dekorative goldene Gegenstände im Überfluss (Schmuck, Pferdebehänge, Hundehalsbänder und illustrierte Manuskripte). Sie mahnen uns, wie wichtig die europäische Übernahme des Goldstandards war, da ein Großteil dieses teuren Metalls durch das Mali-Reich gelangte, was Kankan Mansa Musa zur reichsten Person machte, die jemals gelebt hat.

Boso-Architekten/ Baumeister unter französischem Patronat
Große Moschee
Djenné, Mali, Original 13.–14. Jahrhundert, Neubau frühes 20. Jahrhundert
Lehm

Die heutige Moschee ist eine Zusammenarbeit zwischen der französischen Kolonialverwaltung und einheimischen Boso-Architekten/Baumeistern. Die relativ geradlinige Ausführung ist vermutlich auf den französischen Einfluss zurückzuführen, während die konischen Türmchen und andere Elemente, wie etwa die Verwendung von Lehm, eine lokale Tradition sind.

Die Große Moschee von Djenné (gegenüber) hat eine einzigartige Geschichte. Das heutige Gebäude ist der Nachbau eines Baus aus dem 13. Jahrhundert. Von außen spiegeln die Moscheen von Djenné und Timbuktu die lokalen architektonischen Formen wider. Die ursprüngliche Moschee von Djenné war von Kankan Mansa Musa in Auftrag gegeben und von seinem aus Granada stammenden Architekten Es-Saheli umgesetzt worden, von dem auch die heute noch bestehende Djinger-ber-Moschee in Timbuktu stammt. Deren Inneres ist durch Steinbögen im römischen Stil gekennzeichnet. Es-Saheli entwarf ca. 1328–1330 auch den Palast des malischen Herrschers – er steht nicht mehr, wurde aber als große Kuppel mit »farbig gemusterten« Bögen und vergoldeten Wänden beschrieben. Struktur und Form der Palastkuppel ähnelten den Rippengewölben der Hausa-Architektur und vergleichbaren andalusischen Bauten. Beide beruhen vermutlich auf Techniken afrikanischer Nomaden. Es-Saheli kannte aus seiner Jugend in Granada und dem afrikanisch beeinflussten Cordoba sicherlich Gebäude mit Kuppeldächern.

Dank Kankan Mansa Musa und seinen Nachfolgern wurde Timbuktu zu einer wichtigen Universitätsstadt. Von seiner Hadsch hatte er u. a. Bücher und Lehrer – Nachkommen des Propheten Mohammed, die er in Mekka kennengelernt hatte – mitgebracht. Timbuktu wurde berühmt für Buchherstellung, Kalligrafie und Buchillustration. Das hier vorherrschende islamische Maliki-Recht legt den Schwerpunkt bei Heilung, Rechtsprechung und anderen Belangen auf den Ursprung der Vorfahren. Malische und andere afrikanische Wahrsageformen suchten ihre Antworten ebenfalls bei den Ahnen, bei Gottheiten und/oder den Geistern.

Dass die Moschee von Djenné wiederaufgebaut werden musste, ist das Ergebnis späterer Zeiten. Fulbe/Fulani-Anführer, die den strengeren Glaubensgrundsätzen des Religionsführers Usman dan Fodio folgten, ließen im 19. Jahrhundert die Abflussrohre auf dem Dach der Moschee blockieren, sodass die Lehmmauern zu einem riesigen Haufen Schlamm zusammenfielen. Nachdem die französische Kolonialmacht 1907 die Fulani besiegt hatte, baute sie die Moschee wieder auf. Außerdem erließ sie Gesetze, die die Wirtschaftsstruktur der nomadischen Handelsgruppen zerstörten, was zu Verbitterung und Armut führte.

Die künstlerische Kreativität der früheren mittelalterlichen Periode war zum Teil eine Reaktion auf die Expansion des Mali-Reiches und die Praxis der Sklaverei: Um ihre Freiheit zu erhalten, flüchteten Menschen in entfernte, geschützte Gegenden und begannen ein neues Leben. Ein solcher Ort sind die isolierten Felsen von Bandiagara, einst Heimat der Tellem, heute der Dogon. Die Höhlen über

Tellem-Holzschnitzer
Tellem-Figur
Felsen von Bandiagara,
Mali, 11.–16. Jahrhundert
Holz und
organisches Material,
49,2 x 6,7 x 6,9 cm
Art Institute of Chicago

Die abstrakte, vereinfachte Form und die erhobenen Arme der Tellem-Figuren dienten als Modelle für spätere Dogon-Künstler. Diese Skulpturen sind oft mit der Familie und den Vorfahren des Clans verbunden und sicher in Höhlen oberhalb des Dorfes verwahrt. Für die jährlichen Ernterituale und andere Gelegenheiten holte man sie dann wieder hervor.

den Bergdörfern boten Schutz für Kornspeicher, Begräbnisse und Lager der historischen Masken und Figuren (oben). Die erhobenen Arme der Skulptur galten bei den Dogon als Geste des Gebets um Regen an die Ahnen und den Hauptgott Amma und erinnerten zugleich an die mythischen Nommo – die ersten Wesen auf Erden, quasi Fischmenschen, die als Zeichen der Schöpfung vom Himmel herabstiegen. Ähnliche Gesten findet man bei Dogon-Stühlen, Kanaga-Masken und oft auch bei Türen.

Auch Marokko erlebte im Mittelalter eine Blüte der Kunst mit Zentren der Gelehrsamkeit und einer einmaligen Manuskriptkultur. In Fès entstand die erste Universität der Welt, als Fatima al-Fihri die Moschee gründete, die später zur berühmten al-Qarawiyin-Universität wurde. Fès wurde Hauptstadt der Meriniden-Dynastie, die im Mittelalter große Teile von Marokko, Algerien, Tunesien und Südspanien (Andalusien) beherrschte. Sultan Abu Yaqub Yusuf (reg. 1286–1307) ließ 1306 einen außergewöhnlich schönen Koran herstellen (unten). Der Islam wurde im Prinzip in Afrika geformt, sowohl in den ersten Jahren nach Mohammeds Tod als auch in den folgenden Jahrhunderten. In Westafrika und Andalusien gibt es die gleichen charakteristischen kalligrafischen Formen. Das Arabische hat hier nicht nur eine andere Aussprache, sondern auch Lehnwörter aus den Berber-Sprachen.

Dieser marokkanische Koran enthält die Eröffnungssure al-Fatiha auf einer wunderschön gestalteten, siebenzeiligen Seite aus Pergament. Text und dekorative Motive sind harmonisch ausbalanciert. Vergoldete Kreise trennen die Verse ab. Die anderen hier reich kolorierten Elemente kennzeichnen Vokalisierungen. Die Überschrift der Sure ist in Gold gehalten; ihre Elemente sind in ein dekoratives Feld gesetzt, das durch zarte Arabesken, Palmetten-Elemente und parallele Linien umgrenzt wird. Der Text lautet: »Im Namen des barmherzigen und gnädigen Gottes / Lob sei Gott, dem Herrn der Welten / Dem Barmherzigen und Gnädigen / Der am Tag des Gerichts regiert / Dir [allein] dienen wir…« Der ursprüngliche Ledereinband, der

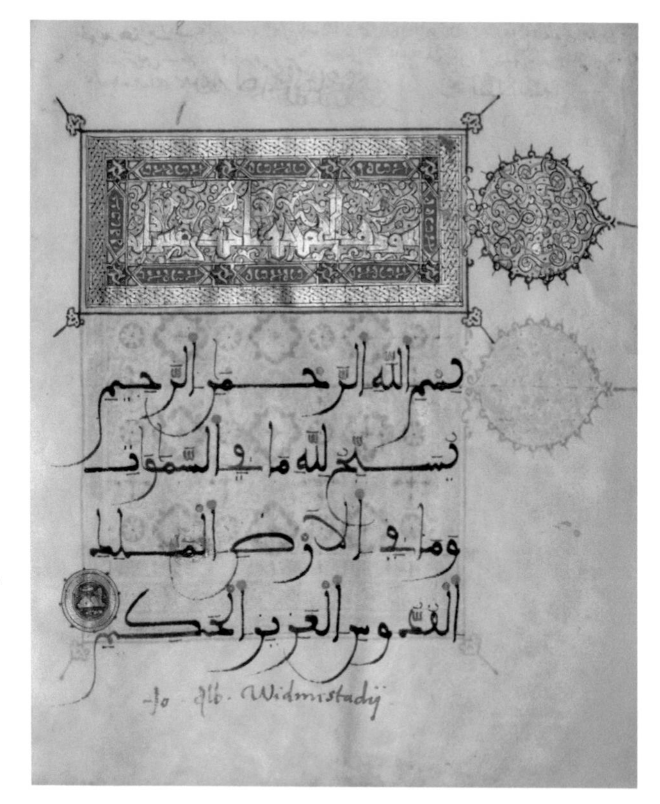

Merinidischer Kalligrafiekünstler
Seite aus dem Koran für den Sultan Abu Ya qub Yusuf
Meriniden-Dynastie, Marokko, 1306
Bayerische Staatsbibliothek

Die maghrebinische (nordafrikanische) Schrift enthält wie die andalusische Schrift mehr gerundete Buchstaben und weite horizontale Schwünge mit offenen Kurven, die oft unter die Linie tauchen. Wie andere arabische Skripte wird dieses Beispiel von rechts nach links gelesen, enthält Schmuckelemente in Form von Blättern und/oder Blüten und wird durch verschiedenfarbige Tinten – Rot, Blau und Gold – interpunktiert.

ebenso überwältigend ist, wird durch ein vergoldetes Sternenmuster geschmückt und enthält eine *waqf*-Marke zum Zeichen, dass das Werk später als Geschenk an die Große Moschee in Tunis ging; es wurde bei der Plünderung von Tunis durch Karl V. 1535 geraubt und dann von einem deutschen Humanisten erworben.

In dieser Zeit wurde in Marrakesch die Koutoubia-Moschee (oben) erbaut, die sich durch ihre Monumentalität und Schönheit auszeichnet. Diese Moschee wurde 1147 gegründet, nachdem der erste Kalif der Almohaden die 1070 als Almoraviden-Hauptstadt gegründete Stadt erobert hatte. Die Almoraviden waren weniger glaubensstreng als die Almohaden (denen sie als Ketzer galten). 1158 begann ihr Neuaufbau, das Minarett war 1195 vollendet. Moschee und Minarett, die heute noch von der meisterlichen marokkanischen Baukunst zeugen, sind Vorbild für Bauten in Sevilla (die Giralda) und Rabat (Hassan-Turm) sowie spätere marokkanisch-andalusische »Ziegelverzierungen«. Das Minarett ist aus Stein, die riesigen, geradlinigen Stadtmauern dagegen sind aus Lehm. Der Name dieser Moschee, Koutoubia, bezieht sich auf das arabische Wort für Buchhändler und verweist auf den benachbarten Buchhändler-*Suq*. Die Ausrichtung der *Qibla*-Wand entspricht der der älteren Moscheen in Fès und Cordoba. Nicht weit von der Moschee entfernt liegt das aus dem 17. Jahrhundert stammende Grab der Mystikerin Lalla Zohra (auch bekannt als Fatima Zohra bint al-Kush). Die Nähe ist ein Zeichen für ihre Bedeutung.

Architekt aus Marrakesch
Koutoubia-Moschee
Minarett und
Außenmauern
Marrakesch, Marokko,
1195

Die Kugeln auf dem Minarett waren wahrscheinlich golden, entsprechend der Bedeutung von Gold in diesem Zentrum des Transsahara-Handels. Nur wenige Hundert Meter entfernt liegt der historische *Suq* (Markt) Marrakeschs; nahebei (und von der Moschee aus zugänglich) steht der Palast – ein Zeichen für die gemeinsame Macht von Religion und Politik.

OST-, SÜD- UND ZENTRALAFRIKA

Auch anderswo in Afrika prägte tatsächlich Gold das mittelalterliche Goldene Zeitalter – wie das lebensecht wirkende Nashorn von Mapungubwe aus Südafrika (unten) beweist, das auf 1000–1300 datiert wird. Die Arbeit besteht im Kern aus Holz und ist mit gehämmerten Goldplatten belegt, eine Technik, die man auch im Aschanti-Reich sowie im Königreich Dahomey findet. Die etwa handgroße Skulptur beweist die außerordentliche Beobachtungsgabe afrikanischer Künstler. Mapungubwe war ein reiches Handelszentrum und eine Klassengesellschaft, in der die Wohlhabenden separat von den anderen auf einem Hügel im Tal des Limpopo lebten. Das Nashorn wurde in einem Grab gefunden. Gräber der Reichen enthielten oft Gold- und Kupfer-Gegenstände sowie Glasperlen. Mapungubwe, der erste Staat im südlichen Afrika, war eine komplexe Gesellschaft. Die Bewohner hielten Rinder, Schafe und Ziegen, betrieben aber auch Ackerbau (Hirse und Baumwolle) auf dem fruchtbaren Boden, der durch jährliche Überflutungen gedüngt wurde. Getreide wurde in entsprechenden Speichern gelagert und sicherte die Ernährung der wachsenden Bevölkerung über das Jahr. Außerdem jagte man und sammelte Wildfrüchte. Dabei traf man auf Tiere wie den Schakal, der dem Ort seinen Namen gab (Mapungubwe – Hügel der Schakale).

Mapungubwe-Künstler
Goldenes Nashorn von Mapungubwe
Südafrika, 1075–1220
Holz und Gold,
14,5 x 5,5 cm
Mapungubwe Collection, University of Pretoria Museum, Südafrika.

Die Verbundtechnik erlaubt die effektive und effiziente Nutzung seltener, weicher Materialien wie Gold. Die Details – Augen, Ohren, Horn und Schwanz – sind faszinierend ausgeführt, genau wie die Andeutung von Muskulatur und Gewicht.

Schalen von Straußeneiern, die zu Perlen verarbeitet wurden, erinnern an die Funde aus der älteren Blombos-Höhle. Die politischen Kräfte von Mapungubwe halfen bei der Wahrung der wirtschaftlichen Interessen – man verarbeitete und handelte nicht nur mit Gold, sondern kontrollierte auch den Handel mit anderen Waren (Salz, Elfenbein, Muscheln, Eisen-Gegenstände) entlang dem Limpopo nach Zentralafrika und Ägypten sowie über den Indischen Ozean nach Arabien, Indien und China. Im 15. Jahrhundert wurde Mapungubwe aufgegeben und das politische Zentrum der Region verlagerte sich an den Ort, der als Groß-Simbabwe bekannt ist.

Groß-Simbabwe (gegenüber) liegt etwa 400 km entfernt nahe dem Lake Mutirikwi und den einst goldreichen Ebenen zwischen Limpopo und Sambesi. Dieser Ort wurde genau wie Mapungubwe durch Gokomere besiedelt (Vorfahren des Shona-Volkes, das immer noch in diesem Gebiet lebt). Die Stadt, die hier entstand, war etwa sieben Quadratkilometer groß. Der Name Groß-Simbabwe leitet sich aus dem Shona-Wort *dzimba-hwe* (»geehrte Häuser«, womit oft die Häuser oder Gräber der Häuptlinge gemeint sind) oder *dzimba-dzamabwe* (»große Steinhäuser«) ab. Eine europäische Beschreibung aus dem frühen 16. Jahrhundert spricht von einem »Junker« mit dem Titel Symbacayo, der die Stadt bewacht.

Groß-Simbabwe ist die größte der fast 200 steinumfriedeten Stätten (ebenfalls »Simbabwe« genannt), die sich vom heutigen Simbabwe bis Mosambik erstrecken. Die Mauern sind immer ohne Mörtel aus behauenen Steinblöcken gebaut. Die Wohngebäude sind dagegen aus Lehm (*daga*). Die Große Einfriedung besteht aus einer 11 m hohen, elliptischen Mauer und einer kürzeren, 10 m hohen elliptischen Mauer, die parallel zu ihr in ihrem Inneren verläuft. Die schmale Passage zwischen den beiden Mauern endet an einem 9 m hohen, flachen Turm von 5 m Durchmesser (an der Basis). Manche halten ihn für einen symbolischen Kornspeicher oder eine Rednerplattform für religiöse oder politische Zwecke. Eine Quelle könnte als Orakel gedient haben. Auf Säulen im östlichen Teil der Einfriedung standen acht Steinvögel, die vielleicht Blitze und kosmologische Kräfte symbolisieren – wie auch die horizontalen Zickzacklinien auf einigen der Steinmauern in Groß-Simbabwe.

Artefakte und die wissenschaftliche Datierung setzen die Erstbesiedlung auf das 5. Jahrhundert und einen dauerhaften Aufenthalt auf das 12. bis 15. Jahrhundert. Die meisten Fundstücke stammen vom Ende dieses Zeitraums, in dem auch persische, syrische und chinesische Materialien in der Region auftauchten. Groß-Simbabwe hatte eine starke Wirtschaft. Es gab nicht nur reich bestellte Äcker, sondern auch Rinder (diese gehörten vermutlich der Oberschicht und wurden saisonal auf verschiedene Weiden getrieben) und Jagdgründe

Shona-Architekten
Groß-Simbabwe
Simbabwe,
11.–15. Jahrhundert

Groß-Simbabwe wird durch drei separate Stätten definiert: den Hügel-Abschnitt (die »Akropolis« – der älteste Abschnitt, erbaut ca. 900 und einstiges religiöses Zentrum), die Ruinen im Tal und die Große Einfriedung.

(Elefanten und anderes Wild), Kupfer-, Eisen- und Goldminen und Fernhandel. Außerdem wurden Schmuck (Anhänger, Armbänder und Perlen), Elfenbeinarbeiten, Werkzeuge und Waffen aus Eisen, Kupfer und Bronze, importierte Münzen aus Arabien, Porzellan, eine *Ushabti*-Figur aus dem Nubien oder Ägypten der Ptolemäer-Zeit (ca. 323–30 v. Chr.) (solche Formen gelangten auch nach Westafrika) und Glas aus Persien und China gefunden – dies half beim Datieren des Fundortes. Ungeachtet der Gründe für die Aufgabe des Ortes – politische Instabilität, Umweltveränderungen (Wasserknappheit, Hungersnot) oder das Versiegen der Golderträge – Simbabwe erlebte ab 1450 einen Niedergang, war aber bis in das frühe 16. Jahrhundert bewohnt. Dann verlagerten sich viele Traditionen der Steinbearbeitung und Keramik weiter nach Süden. Als es im 19. Jahrhundert von Cecil B. Rhodes und anderen Kolonisatoren »wiederentdeckt« wurde, schrieb man die Architektur fälschlicherweise fremden und mythischen Personen wie König Salomon und der Königin von Saba zu, weil man abwertend glaubte, dass Schwarzafrikaner nicht die technischen Fähigkeiten besäßen.

Die mittelalterlichen Einflüsse reichten bis zur Küste, wo der Islam ebenfalls eine starke Basis hatte und eine wichtige Rolle beim internationalen Handel spielte. Die dort entstandenen bedeutenden Bauten sind allerdings meist aus einem lokal gewonnenen Material, das Stein sehr ähnlich ist – Koralle. Auf der ostafrikanischen Insel

Mwera-Architekt
Große Moschee von Kilwa
Insel Kilwa, Tansania, 10.–13. Jahrhundert

Der im frühen 14. Jahrhundert herrschende Sultan al-Hasan ibn Sulaiman erweiterte die Moschee von Kilwa und ließ einen Palast bauen, der Husuni Kubwa (»Großer Palast«) genannt wurde und eine Kuppel, eine Empfangshalle, einen Handelshof und mehrere drei Meter hohe Räume enthielt. Ein Damm aus Korallen sowie Wellenbrecher boten Schutz vor dem Meer.

Kilwa Kisiwani im heutigen Tansania (oben) finden wir ein solches Beispiel. Gegründet im 8. Jahrhundert durch Mwera-Reisende vom afrikanischen Festland, wurde Kilwa zu einer blühenden Swahili-Stadt (von Kisuaheli, der Bantu-arabischen Verkehrssprache). Kilwa war ein Sultanat, laut mündlicher Überlieferung gegründet von einer einheimischen Frau und einem persischen Königssohn. Zu ihrer Blütezeit vom 13. bis zum 15. Jahrhundert war Kilwa eine Handelsmacht, die Ostafrika, die arabische Halbinsel, Indien und China verband. Zu ihrem Dunstkreis gehörten Inselkulturen wie Sansibar, die Komoren und Madagaskar sowie Festlandsorte wie Simbabwe. Importiert wurden ausländische Luxustextilien und Keramik, exportiert wurden Gold, Elfenbein, Schildkrötenpanzer, Gewürze, Gummi, Kokosöl und Menschen. Die eleganten, importierten Keramiken aus Arabien und China stellte man in Wandnischen in den Häusern der Oberschicht aus. Zwischen 1100 und 1600 prägte Kilwa eigene Münzen; einige wurden in Groß-Simbabwe gefunden, andere gelangten bis nach Australien. Auch Baumwolle wurde angebaut, wie Spinnwirtel aus dem 12. Jahrhundert beweisen – wichtig für Kleidung und Segelboote. Das Meer lieferte einen Großteil der Nahrung, die in lokal hergestellten Gefäßen zubereitet wurde.

Der marokkanische Reisende Ibn Battuta beschrieb Kilwa 1331 als eine der schönsten Städte der Welt, voller Moscheen, Befestigungen, einem Palast, Friedhöfen und Häusern. Bereits früh hatte der Ort mit Sklaverei zu tun (siehe Kapitel 5). Bauten aus Korallen und Stein ersetzten ältere Häuser aus Holz und Lehm. Wohlhabende hatten Wasserklosetts. Die Moschee von Kilwa war im 10. Jahrhundert als Versammlungsort gegründet worden, der Bau erfolgte dann allerdings erst im 12. und 13. Jahrhundert in mehreren Stadien – sie ist damit eines der ältesten derartigen Gebäude an dieser Küste. Der Innenraum wird durch 16 Joche bestimmt, die durch neun Säulen (ursprünglich aus Korallen, später aus Holz) begrenzt sind.

Das Christentum spielte in dieser Zeit in Ostafrika weiter eine wichtige Rolle. Damals entstand in Lalibela die größte jemals gebaute monolithische Kirche. Das Gebäude aus Vulkangestein zeugt vom Interesse an architektonischer Größe und Permanenz. In Äthiopien gibt es elf solcher Kirchen, die direkt aus den Felsen gemeißelt wurden. Eine davon ist die Kirche des Heiligen Georg (unten), die unter der Herrschaft des christlichen Kaisers Lalibela (1162–1221) aus der mächtigen Zagwe-Dynastie erschaffen wurde. Der Ort sollte Jerusalem im 12. Jahrhundert als Pilgerziel ersetzen, nachdem Pilgerfahrten in das Heilige Land aufgrund der muslimischen Eroberungen zum Erliegen gekommen waren.

Lokale Traditionen besagen, dass die Kirche des Heiligen Georg von übernatürlichen Kräften, also Engeln, erbaut wurde.

Äthiopischer Architekt
Kirche des Heiligen Georg
Lalibela, Äthiopien,
spätes 12. oder frühes 13. Jahrhundert

Diese Kirche zeigt Elemente aksumitischer Steinstelen und Bauwerke, speziell an den gemeißelten quadratischen Fenstern und den Türrahmen. Die leuchtend bunten, reich ausgemalten Innenräume enthalten Wandbilder mit christlichen Themen neben architektonischen Details – Fenstern, Türen und Säulen.

Amharischer Illustrator
Zir-Ganela-Evangeliar (MS M.828)
Keuschheitstest der Jungfrau Maria
Äthiopien, 1400–1401
Illuminiertes Manuskript, Pergament und Tinte
Morgan Library & Museum, New York

Äthiopische Evangeliare gehören zu den heiligsten Texten und sind von atemberaubender Schönheit. Diese wurden auf speziell vorbereitetem Pergament verfasst und sind in der Landessprache Ge'ez (Altäthiopisch) geschrieben, nicht in Griechisch (der alexandrinischen Kirchensprache), was vermuten lässt, dass die Zielgruppe einheimisch war. Solche Manuskripte wurden oft von wohlhabenden Menschen in Auftrag gegeben und dann der Kirche geschenkt.

Die meisten frühen koptischen Kirchen (die älteste von 337) folgten dem Modell der römischen Basilika. Die Byzantiner bauten später Kirchen mit kreuzförmigem Inneren in einer rechteckigen Form (wie die Hagia Sophia). Lalibela enthält verschiedene Details an Fenstern, Portalen und anderen Gebäudeteilen, die aksumitischen Formen aus der vorchristlichen Zeit entsprechen. Die Kreuzform der Kirche in Lalibela ähnelt der Kreuzform der Grabeskirche in Jerusalem, die nahe der Kreuzigungs- und Grabstelle Jesu erbaut wurde. Die Kirchen von Lalibela lassen sich in zwei Gruppen einteilen, die durch den Fluss Jordan – benannt nach dem Fluss, in dem Christus getauft wurde – getrennt sind. Die zweistöckigen Häuser im benachbarten Dorf sind ebenfalls aus Stein. Lalibela, das auch als Neu-Jerusalem bezeichnet wird, ist weiterhin eine wichtige christliche Pilgerstätte.

In Lalibela und anderen äthiopischen christlichen Orten wurden reich illustrierte Manuskripte hergestellt. Die Evangeliare von Garima gehen auf das Jahr 500 zurück und sind die ältesten noch vorhandenen vollständigen christlichen illustrierten Manuskripte der Welt. Da die Heilige Familie in Ägypten gewesen sein soll, nimmt Afrika in der christlichen Vorstellung eine besondere Stellung ein. Das hier gezeigte Werk (gegenüber) ist eine Seite aus dem Zir-Ganela-Evangeliar (1400–1401) mit einer im äthiopischen Kontext wichtigen Szene: dem Keuschheitstest der Maria. Die Figuren sind leuchtend grün, rot, blau und gelb dargestellt, Details in Schwarz und Weiß. Der Text ist in der altäthiopischen Ge'ez-Sprache. Die Bedeutung der Frauen in der äthiopischen Variante von Christi Geburt und verwandten Geschichten ist bemerkenswert. So wird die Hebamme Salome oft gezeigt, wie sie Maria nach der Entbindung die Hände entgegenstreckt. Hier wird Maria ein Kelch mit »bitterem Wasser« gereicht, um nachzuweisen, ob sie Ehebruch begangen hat oder tatsächlich noch jungfräulich rein ist. Viele Personen in der Szene schauen in Erwartung der Antwort zum Himmel.

Anfang des 7. Jahrhunderts verlor Byzanz Ägypten an Persien und 641 wurden die koptischen Mächte durch muslimische ersetzt. Im koptisch-christlichen Gebiet am südlichen Nil blieb Meroe bis ca. 330 Nubiens Hauptstadt. In der Folge entstanden in der Region drei christlich-nubische Königreiche: Nobatia (Hauptstadt Faras im heutigen Sudan), Makuria (Hauptstadt Alt Dunqula) und Alwa (auch Alodia genannt, mit der Hauptstadt Soba, heute Khartum). Diese koptischen Zentren im Niltal erstreckten sich vom ersten Katarakt bis zum heutigen Khartum. In diesen Gebieten war es ab Mitte des 7. Jahrhunderts relativ friedlich, sodass nubisch-christliche und andere Künste, die aus der meroitischen Tradition schöpften, aufblühen konnten. In etwa 50 Kirchen und Residenzen entstanden Wandbilder, Keramiken, Textilien und Metallarbeiten. Besonders wichtig war Faras, der Bischofssitz mit seiner Kathedrale und mehreren Kirchen. Das Christentum blieb bis etwa 1323 vorherrschend und ist auch bis heute nicht komplett verschwunden. Nach der muslimischen Eroberung der nördlichen Nil-Region waren diese Königreiche vom Rest der christlichen Welt mehr oder weniger abgeschnitten, entwickelten sich aber dennoch weiter und zeigten nicht nur einen außergewöhnlichen Reichtum in Kunst, Kultur und religiösem Leben, sondern stellten auch eine Gefahr für den Norden dar. Nach dem Fall des nubischen Kusch im 7. Jahrhundert vereinigten sich Makuria und Nobadia und annektierten die anderen Provinzen, einschließlich Faras.

μαρια
θεοτοκου

Wandbildmaler aus Faras
Königinmutter Martha unter dem Schutz der Jungfrau Maria, die das Jesuskind trägt
Faras, Sudan,
11. Jahrhundert
Wandbild

Das christliche Nubien schöpfte aus pharaonischen Traditionen, nutzte aber auch Motive aus der byzantinischen Welt. Die Krone der Königinmutter zeigt kleine Widderhörner wie die antiken nubisch-kuschitischen Kronen und die Kronen der zeitgenössischen Priesterherrscher von Banganarti. Zwischen den Hörnern stellt ein rundes Motiv die Sonne dar, ein wichtiges nubisches Symbol.

Nubisches Christentum und Kunst entwickelten sich etwas anders als andere christliche Zentren des Mittelalters, vor allem, als der einstmals reguläre Austausch mit Alexandria und Jerusalem unterblieb. Ägyptische und sudanesische Christen nutzten nun die neue Lingua Franca Arabisch, als liturgische Sprache wurde aber weiterhin Koptisch verwendet (mit einer eigenen griechisch-hieroglyphischen Schrift aus 24 griechischen und 7 altägyptisch-demotischen Zeichen). Passend zur religiösen Anpassungsfähigkeit und Kreativität der Nubier enthalten viele koptische Schriften christliche, manichäische und gnostische Materialien, auch wenn biblische Texte dominieren. Das armenische Christentum ähnelt dem koptischen Glauben und seiner Kunst am meisten.

In Nubien spiegeln christliche und politische Einstellungen die früheren pharaonischen Überzeugungen und Praktiken wider. Selbst heute folgen die Kopten altägyptischen Kalender- und Ernährungsregeln und haben eigene magische Papyri. Sie verwandelten den *Ankh*, das pharaonische Zeichen für Leben und Ewigkeit in ein christliches Jenseitssymbol. Aus Gräbern holte man in kleinen runden Flaschen heiliges Wasser. Wichtig sind auch das Mönchswesen (das sich von Ägypten aus im Westen verbreitete), Pilgerfahrten und Heiligenleben (wie das des heiligen Menas). Die koptische Bildsprache nutzt starrende Augen, die den Betrachter direkt anblicken. Dekoriert wird mit geometrischen Mustern, vielfältigen Pflanzenmotiven (Ranken, Bäumen, Reben) und griechisch-römisch inspirierten mythischen Figuren (Sirenen, Gorgonen). Ab dem 13. Jahrhundert sorgten dynastische Streitereien, der zunehmende Druck aus Ägypten und Vorstöße aus dem Fung-Königreich für den Niedergang des amtlichen christlichen Glaubens, auch wenn er im Privaten erhalten blieb.

Das Bild gegenüber ist ein Wandbild aus dem 11. Jahrhundert aus der Kathedrale von Faras. Links ist Martha, die Königinmutter (*Nonnen*) von Faras zu sehen, rechts stehen ihre zwei Beschützer Maria und Jesus. Martha trägt eine reich geschmückte Robe mit juwelenbesetzten Medaillons – ein Hinweis auf die Rolle Nubiens im Fernhandel mit teuren Stoffen wie Brokat und Seide. Marias dunkleres Kleid spielt auf ihren höheren Rang und religiösen Status an. Jesus hat erwachsene Gesichtszüge, die denen Marias ähneln. Die Königinmutter berührt mit der linken Hand ein verziertes Tuch, vielleicht den heiligen Schleier, den Maria während der Entbindung trug, eine hier wichtige Tradition. Das Gold deutet den Goldreichtum Nubiens an. Jesus hält in seiner rechten, zum Himmel weisenden Hand ein rautenförmiges Kreuz (typisch für die byzantinische Kunst), dessen vier Ecken für die vier Elemente oder die Schöpfung des

Universums (laut Genesis) stehen. Die Dreiecksform in seiner linken Hand ist ein Hinweis auf die Dreifaltigkeit.

Marthas Porträt unterstreicht ihre Frömmigkeit. Auf einer anderen Wand befindet sich eine Geburtsszene, die Marias königlichen Status als Mutter von Jesus zeigt. Die Verbindung der Königinmutter mit Maria betont die göttliche Billigung des Herrschers und seiner Mutter und die Bedeutung der afrikanischen Königinmütter im Allgemeinen. Die nubische Gesellschaft war matrilineal und die Herrscher verfolgten ihre Abstammungslinien über den Bruder ihrer Mutter zurück. In Königslisten stehen die Namen der Königinmütter oft direkt hinter den Namen der Könige. Diese und andere Frauen genossen in den Künsten einen hohen Status. Wie viele andere afrikanische Königinmütter half Martha ihrem Sohn auf den Thron. König Raphael (reg. ca. 1002) ließ in Alt Dunqula einen großen Palast aus roten Ziegeln erreichten. Die Hauptstadt seines Reiches besaß breite Straßen, große Häuser, eine Stadtmauer und viele Kirchen. Diese nubisch-christliche Kultur endete, als der Sultan der Mamluken aus Kairo 1315 in Alt Dunqula einen muslimischen Marionettenkönig einsetzte. Während einer heftigen Dürre überfielen Juhayna-Nomaden von der arabischen Halbinsel dieses nubische Gebiet. Einige Christen konvertierten, andere flohen – manche bis zum Tschadsee und nach Westafrika.

Aus dem südlichen Afrika stammen faszinierende Keramikköpfe, die auf den Beginn der mittelalterlichen Zeit datieren (gegenüber). Sie entstanden etwa 500. Sieben dieser Köpfe wurden in Lydenburg (seit 2006: Mashinshing) im östlichen Transvaal entdeckt. Sie sind die ältesten bekannten Skulpturen der Eisenzeit südlich des Äquators. Kleinere Köpfe stellen Tiere dar, einer hat eine lange Schnauze, ein anderer zeigt vermutlich eine Löwenmähne. Wozu diese Skulpturen dienten, ist unbekannt; vielleicht wurden sie bei Zeremonien wie Initiationen getragen. Wie der Yoruba-Olokun-Kopf in Ife galten sie als wichtig genug, um sie zu begraben und für spätere Veranstaltungen wieder auszugraben. Diese Köpfe beweisen, dass den Afrikanern ihre Kunst wichtig genug war, um sie jahrhundertelang zu bewahren. Sie demonstrieren außerdem, welche Bedeutung Kunstwerke für Gebiete haben, die einst als »leer« galten und nur auf europäische Inbesitznahme zu warten schienen. Am Ende des Mittelalters, etwa 1390, entstand in Zentralafrika das Kongo-Reich durch eine politische Heirat von Nima a Nzima (aus Mpemba Kasi) und Luqueni Luansanze (von den Mbata). Die neue Hauptstadt wurde in Mbanza Kongo im heutigen Angola gebaut. Töpfertraditionen in der Provinz Mbata künden von der kulturellen und soziopolitischen Vielfalt des Kongo.

Sotho-Keramikkünstler
Lydenberg-Kopf- oder Helmmaske
Südafrika, 500 n. Chr.
Gebrannter Ton,
Höhe 38,1 cm
Iziko South African Museum, Kapstadt

Einige dieser Werke sind durch asymmetrische lineare Gesichtsmarkierungen und horizontale Halsringe gekennzeichnet und ähneln damit späteren afrikanischen Kunsttraditionen (und möglicherweise besteht sogar eine direkte Verbindung zu diesen).

WICHTIGE IDEEN

- Während der mittelalterlichen Zeit war Afrika in vielerlei Hinsicht ein globales Handelszentrum.
- Neue Technologien erlaubten die Entwicklung dichter besiedelter Zentren, in denen gildenartige Künstlergruppen entstanden.
- Globale Religionen – darunter Christentum und Islam – wurden in Afrika geprägt.
- Handelsverbindungen innerhalb und außerhalb des Kontinents brachten neue Waren, Technologien und Ideen.

WICHTIGE FRAGE

- Welche Folgen hatte der Schwarze Tod für Afrika, als der europäische Bedarf an Arbeitskräften stieg?

38

TRANSFORMATIONEN DER FRÜHEN NEUZEIT (1450–1849)

-

**Der Elefant wird es nie müde,
seine Stoßzähne zu tragen.**

-

Liberianisches Sprichwort

Portugiesische Seefahrer erreichten in den 1470ern die Goldküste Westafrikas (das heutige Ghana) und in den 1480ern die Königreiche Benin und Kongo. Dort suchten sie nicht nur nach Gold, sondern auch nach dem Seeweg nach Asien und seinen reichen Gewürzvorkommen. Man wollte die muslimischen Länder umgehen, die die Handelswege kontrollierten und damit den Profit schmälerten. Im Vertrag von Tordesillas von 1494 hatte Papst Alexander VI. die wichtigsten nichteuropäischen Gebiete zwischen den beiden mächtigsten Seefahrernationen dieser Zeit aufgeteilt: Spanien bekam den amerikanischen Doppelkontinent und Portugal Afrika und Asien. Die Missionierung in diesen Gegenden diente immer auch den Handelsinteressen, diplomatischen Bemühungen und dem Erwerb von Sklaven. Große, hochseetaugliche Schiffe, ausgefeiltere Navigationsinstrumente und die neuartigen Feuerwaffen sorgten dafür, dass die Versklavung von Menschen nun deutlich gewalttätiger, tödlicher und umfassender verlief. Afrika wandelte sich zu dieser Zeit; seine Bevölkerung erholte sich von der verheerenden Pest und Militäraktionen hatten daher viel größere Auswirkungen. Eine weitere Änderung trat 1492 ein: Kolumbus erreichte Amerika und – für Afrika besonders wichtig – das muslimische Granada kapitulierte vor den Christen. Viele seiner Bewohner flohen (etwa nach Marokko und Mauretanien) und Afrika hatte kein europäisches Standbein mehr.

KONGO, SIERRA LEONE UND BENIN

Das Königreich Kongo (auf dem Gebiet der heutigen Demokratischen Republik Kongo, der Republik Kongo und Angolas) erfuhr in der frühen Neuzeit große Veränderungen. 1482/83 erreichte der portugiesische Entdecker Diogo Cão die Mündung des Flusses Kongo. Als erster Europäer, der mit den Herrschern des Königreichs Kontakt aufnahm, baute er eine Beziehung in beiderseitigem Interesse auf und brachte das Christentum in die Gegend. König Nzinga-a-Nkuwu ließ sich taufen und nahm den Namen João I. an. Unter seiner Regentschaft und der seiner Nachfolger konvertierten viele der heimischen Anführer. Bei seinem ersten Besuch 1483 ließ der Portugiese Missionare zurück und nahm mehrere Kongolesen mit nach Lissabon. Diese erlernten die portugiesische Sprache und konvertierten zum Christentum, bevor sie 1485 wieder in ihre Heimat zurückkehrten. Es folgten weitere Missionen, wobei besonders König Afonso I. (ca. 1456–1542/3) die Christianisierung seiner Untertanen forcierte. Er verbot die Anbetung der heimischen Gottheiten, deren Skulpturen er als »Götzen« bezeichnete, und ließ religiöse Schreine in der Hauptstadt zerstören. Das Ganze hatte

Kongo-Bronzegießer
Skulptur des Heiligen Antonius von Padua
Kongo, Republik Kongo, 16.–19. Jahrhundert
Bronze,
10,2 x 3,5 x 2,9 cm
Metropolitan Museum of Art, New York

In seiner linken Hand hält Jesus eine mit dem Kreuz besetzte Weltkugel – ein im Mittelalter eingeführtes Symbol christlicher Autorität. Seine rechte Hand weist wie in einer Geste des Segnens auf die Brust des Heiligen Antonius. Beide blicken direkt auf den Betrachter – möglicherweise rufen sie uns zum Gottesdienst.

eine zutiefst problematische Kehrseite. Die Portugiesen begannen, die Sklaverei als Teil der Missionars- und Handelstätigkeit voranzutreiben. Hier und in vielen anderen Gebieten Afrikas wurde dieser Pakt der Gewalt zwischen christlicher Mission und Sklaverei durch die Lüge gestützt, dass die Afrikaner keine echte Religion – und ganz allgemein keine Zivilisation – hätten. Afrikanische Kunstwerke aus dieser Zeit beweisen dagegen die Lebendigkeit der afrikanischen Kulturen, Glaubensvorstellungen und Künste.

Manche Kunstwerke aus der Zeit der Missionarstätigkeit und den nachfolgenden Jahrhunderten zeigen, wie das Christentum in den kulturellen und ästhetischen Kanon des Kongo integriert wurde. Die

Darstellung des Heiligen Antonius von Padua ist von ca. 1460–1542. Vermutlich entstand diese Skulptur während der Regentschaft von König Nzinga-a-Nkuwu, der zwischen 1470 und 1509 als der fünfte ManiKongo (König des Kongo) regierte, oder der seines Nachfolgers Mvemba a Nzinga (Afonso I.). Antonius, ein portugiesischer Franziskaner, starb 1231 im italienischen Padua und wurde kurz darauf heiliggesprochen. Er war in den Franziskaner- und Kapuzinerorden, die seit der frühen Neuzeit in Afrika missionieren, eine wichtige Figur. Der Künstler hat die Ikonografie des Heiligen gekonnt in Szene gesetzt. Er wird zwar meist mit dem Jesuskind gezeigt, hier jedoch trägt er den erwachsenen Jesus in seiner Hand. Ebenso leicht hält er das schwere Metallkreuz, das die Kreuzigung Jesu erahnen lässt. Antonius und Jesus tragen ähnliche Lendenschurze, wobei der des Antonius wie bei den erwachsenen Kongolesen fast bis zu seinen Knöcheln reicht. Er ist mit einem Strick gegürtet, dessen Knoten Armut, Ehelosigkeit und Gehorsam der Franziskaner symbolisieren.

Im landwirtschaftlich genutzten Landesinneren entstand Anfang des 17. Jahrhunderts, als das Königreich Kongo im Niedergang begriffen war, die Kuba-Föderation. Königliche Mythen berichten, der erste Kuba-König, Shyaam aMbul aNgoong (Shyaam der Große), sei in andere Königreiche gereist und habe aufgrund dieser Erfahrungen sein eigenes Reich gegründet. Gründungsmythen über das Verhältnis neuer Königreiche zu ihren Vorläufern sind in Afrika sehr verbreitet und dienten dazu, der aufstrebenden Macht politische Legitimation zu verleihen. Die neuen Kunstformen der Kuba bauten auf Elementen des Kongo und anderer Kulturen auf, waren aber dennoch ihre eigene Schöpfung. Die *Ndop*-Skulptur, die Shyaam darstellt, entstand ca. 1650–1700 und zeigt ihn mit seinem Regierungssymbol (*Ibol*), dem bekannten afrikanischen Brettspiel *Lele* (oder *Mankala*). Der König sitzt hier (gegenüber) im Schneidersitz auf einem quadratischen Sockel, den die Kuba-Herrscher bei öffentlichen Versammlungen nutzten. Dies ist vergleichbar mit den königlichen Sitztraditionen der Kongo. Ähnliche *Ndop*-Formen schuf man, oft als Skulpturengruppen lange nach ihrem Tod, auch für nachfolgende Kuba-Herrscher, um an deren Regentschaft zu erinnern. *Ndop*-Figuren dienten als Double, wenn der König nicht anwesend war, und wurden nach seinem Tod von seinen Witwen gepflegt. Nahte sein Tod, brachte man die Figur zu ihm, damit sie seinen Geist aufnehmen und seinem Nachfolger und der Bevölkerung Nutzen spenden konnte, etwa Fruchtbarkeit. Eine Kette aus Kauri-Muscheln umspannt seinen Körper (Kauri-Muscheln dienten beim Handel am Indischen Ozean als Zahlungsmittel, waren aber auch in Westafrika zu finden). Der eigenartige hackenförmige Kopfputz zeugt von der

Bedeutung der Landwirtschaft. In diesem konkurrierenden Umfeld kämpften Adlige darum, neue Muster als Schmuck für Kleidung, Wertsachen und Palastwände zu entwerfen. Bei seiner Einsetzung musste der König eine neue Hauptstadt wählen (oft in der Nähe einer früheren). Gemeinsam errichtete das Volk einen Palast, in dem die Entwürfe ausgestellt wurden.

Zu den über das Meer nach Europa geschickten Waren gehörten wertvolle Materialien wie Elfenbein, das im Mittelalter in großen Mengen gehandelt wurde. Europäische Mäzene interessierten sich nicht nur für rohes Elfenbein zur Weiterverarbeitung durch eigene Künstler, sondern auch für talentierte afrikanische Elfenbeinschnitzer. Im 15. und 16. Jahrhundert gelangten elegante Elfenbeinbehälter von Sapi-Künstlern aus dem heutigen Sierra Leone nach Europa. Salzstreuer aus Elfenbein beruhten auf westlichen Formen, enthielten aber afrikanische Elemente, Tiere und stilistische Neuerfindungen.

Kuba-Holzschnitzer
Kuba-*Ndop*-Figur, die Nyim Mbo Mboosh (reg. ca. 1650), Nyim Mish miShaang maMbul (reg. ca. 1710) oder Nyim Kot aNee (reg. ca. 1740) darstellt
Demokratische Republik Kongo,
17.–18. Jahrhundert
Holz,
49,5 x 20,3 x 25,4 cm
Brooklyn Museum, New York

Das *Ibol* (Zeichen) dieses Königs nimmt die Form einer Trommel an. Die Kaurimuscheln am Gürtel und den Armbändern symbolisieren Woot, den ersten Menschen und Bringer der Zivilisation. An der linken Hüfte trägt der König ein Zeremonialschwert. Bemerkenswert an dieser und anderen *Ndop*-Figuren der Kuba ist ihr außerordentliches Gefühl von Ruhe.

Sapi-Elfenbeinschnitzer
Sapi-Salzstreuer
Sierra Leone,
spätes 15. bis frühes
16. Jahrhundert
Elfenbein, 29,8 x 10,8 cm
Metropolitan Museum
of Art, New York

Schlangen hängen in der Mitte des Gefäßes herunter, ihre Köpfe und Zungen strecken sich zu den kauernden, schnüffelnden Hunden hin, deren gesträubte Nackenhaare Angst signalisieren. Dazwischen stehen abwechselnd Schild- und Waffenträger und geschmückte Frauen in wunderschönen Gewändern, deren Musterung die anderen linearen Muster auf dem Gefäß ergänzt.

Der hier gezeigte Salzstreuer ist ein rundes Gefäß mit einer aufragenden »Krone« und langen Perlensträngen auf dem Deckel, die damals und auch später gern gehandelt wurden.

Was sind das für Schlangen (und besorgte Hunde), die so anders sind als alles, was man auf europäischen Salzstreuern dieser Zeit findet? Sie symbolisieren vermutlich lokale Wassergeister (Niiganne, Ninkinanka), die den Menschen zu Geld und wertvollen Dingen (Eisen, Gold, Kleidung) verhelfen sollten. Sie sind aber vielleicht auch gefährlich und stehen in Verbindung mit Hexenritualen (wie das Opfern eines Lebens für einen materiellen Vorteil). In vielerlei Hinsicht wurden Europäern ähnliche mystische Kräfte zugeschrie-

Mitglied der Igbesanmwan-Schnitzergilde von Benin
Medaillonmaske, die wahrscheinlich Königin Idia darstellt, Mutter von König Esigie
Benin (Nigeria), frühes 16. Jahrhundert
Elfenbein und Eisen, 23,8 x 12,7 x 6,4 cm
Metropolitan Museum of Art, New York

Auf der Krone der Maske befinden sich die Gesichter von Portugiesen (mit langen, schmalen Nasen und glattem, nach außen gedrehtem Haar) im Wechsel mit Schlammfischen (Afrikanischer Lungenfisch), deren gedrehte Körper und langen Kiemen die Frisuren der Portugiesen nachahmen. Dass die Verstorbenen Wohlstand, aber auch Gefahr bringen und angeblich über das Meer in das Land der Ahnen reisen, ist der verbindende Faktor zwischen der Darstellung der Portugiesen und der Vorfahren.

ben – reiche Seefahrer aus einem weit entfernten Land (das sie nach Überzeugung der Einheimischen mit den Toten teilten), die potenziell Tod, aber auch Reichtum brachten. Die Hunde scheinen sich der Gefahr dieser eigenartigen außerweltlichen Kräfte bewusst zu sein.

Eine naturalistische Elfenbeinmaske aus dem Edo-Königreich Benin (im heutigen Nigeria – oben) verdeutlicht, wie die dortigen Afrikaner die Ankunft der Europäer wahrnahmen. Die Maske stellt vermutlich Königin (Iyoba) Idia dar, die Mutter von König Esigie, dem Oba (König, reg. 1504–1550), der die Ankunft der ersten Portugiesen erlebte und dieses Stück wahrscheinlich beauftragte. Die Portugiesen unterstützten das Königtum von Benin bei der Durchsetzung gemeinsamer politischer Ziele. Königinmutter Idia hatte erhebliche Macht und galt als wichtige politische und militärische Strategin. Idia schaffte es nicht nur, ihren Sohn zum König über seine älteren Brüder (von anderen Ehefrauen) zu erheben, sondern steigerte Esigies Macht auch, indem sie die Portugiesen dazu brachte, sich seiner erfolgreichen Militäroperation gegen die Igala anzuschließen, um die Kontrolle über den wichtigen Handel im Niger-Benue-Gebiet zu erlangen, die lange der Yoruba-Herrscher von Ife innehatte. So erhielt Benin besseren Zugang zum Binnenhandel und machte Igala zu einem Tributstaat von Benin. Einer Königin gebührte natürlich hochwertiges Elfenbein. Die Maske besitzt eiserne Intarsien als Zeichen für dessen rituelle Macht. Senkrecht über den Augenbrauen sind jeweils vier Ritze; Frauen und Fremde haben im Allgemeinen vier solche Marken, einheimische Benin-Männer nur drei. Die ausgehöhlte Rückseite der Maske könnte einst mächtige schützende Substanzen enthalten haben, für die Idia bekannt war. Die Oberfläche aus Elfenbein spricht von spiritueller Reinheit und der weißen (kreideartigen) Welt von Olokun, dem Meeresgott.

Nachdem Benin Igala erobert hatte, erkannte dessen König (Attah) das Bündnis und den Status als Tributstaat an, indem er zu feierlichen Anlässen eine Bronzemaske trug. Diese hat drei Markierungen über den Augen – der Igala-König galt als Fremder. Maskierung spielte eine wichtige Rolle für – sowohl familienbasierte als auch politisch motivierte – Genealogien. In Benin bestand die erste offizielle Amtshandlung des Oba darin, einen Altar für seinen Vorgänger zu bauen, den er dann für seine heiligen Handlungen bei privaten und öffentlichen Zeremonien nutzte (Kapitel 1). Am Altar brachte man den Toten Opfer und Gebete dar. Viele der Benin-Bronzen und andere auf königlichen Altären ausgestellte Werke vermitteln sozio-kulturelle, politische und religiöse Vorstellungen über die Macht. Speziell der Kopf galt als Zentrum von Erfahrung, Führungsstärke, Glück und Erfolg. Der Kopf ist an dem Altar für Oba Ewuakpe (ca. 1690–1713) besonders prominent: unverhältnismäßig groß und mit einer europäisch anmutenden Melone. Die traditionelle Kleidung der Benin-Könige fällt hier eher spärlich aus – ein Zeichen seiner politischen und wirtschaftlichen Verarmung. Die Gesichtszüge sind wie bei vielen Benin-Porträts idealisiert dargestellt. In einer Hand trägt der Oba eine Axtklinge (Symbol von Macht und Tod), in der anderen einen geschmückten Stößel (Symbol von Wohlbefinden). Ewuakpe und dieser Altar kennzeichnen eine Zeit des Übergangs.

In Benin nutzte man importierte europäische Metalle – statt des einheimischen Kupfers (wie vermutlich in Igbo Ukwu und Ife) – für

Mitglied der Igun-Eronmwon-Gilde der Bronzegießer von Benin
Altaraufsatz für Oba Ewuakpe
Benin (Nigeria), spätes 17. Jahrhundert
Kupferlegierung und Eisen, 58 x 35 x 30 cm
Ethnologisches Museum Berlin

König Ewuakpe wird hier von zwei ausgemergelten Personen (versklavten Männern) begleitet. Dies verweist auf ein wichtiges Ereignis während seiner Regentschaft, als er durch ein Komplott von Adligen seine Macht verlor und sie erst zurückerlangte, als er begann, Sklaven an europäische Händler zu verkaufen. Normalerweise wird der König auf solchen Altarstücken von Höflingen begleitet.

den Bronzeguss. Der rötliche Farbton stärkt die ästhetische und symbolische Wirkung der Arbeit. Rot ist eine königliche Farbe. Sie steht in Verbindung mit Blut (Abstammung und Opfer) und galt als Schutz vor Gefahren. Porträts von niedrigeren Anführern wurden aus Holz geschnitzt und manchmal mit Kupfer überzogen, Künstlerporträts waren aus Ton. Rote Korallen, die für Schmuck benutzt wurden, stammten aus dem Mittelmeer und gehörten zu den vielen Waren, die Benin in dieser Zeit des internationalen Seehandels importierte. Schmuck aus roten Korallen galt in Europa als magisch, in Benin wurden Korallen Verbindungen zum Meeresgott Olokun, der Reise der Toten und zu Blutsbanden – durch Geburt oder politische Allianzen – nachgesagt. Öffnungen oben an diesen Köpfen enthalten geschnitzte Elfenbeinzähne, die Menschen und andere Ereignisse aus Benins religiösem und politischem Leben abbilden.

DAHOMEY, YORUBA UND ASCHANTI

Der Dahomey- (Fon-) König Agadja, Sohn von Houegbadja, dem Gründers des Königreichs, schaffte es während seiner langen Herrschaft (1718–1740), das Staatsgebiet beträchtlich zu erweitern. Agadja führte einen militärischen Angriff gegen seinen größten Handelskonkurrenten, König Hufon von Savi durch, der den europäischen Zugang an der Küste kontrollierte. Nach diesem erfolgreichen Feldzug, unterstützt durch weibliche Kavallerie und Agadjas eigene Tochter (die Wasser in Hufons wichtigen Schießpulvervorrat mischte), wählte Agadja das europäische Segelschiff zum königlichen Wahrzeichen. Eines schmückt dieses Denkmal, das als Zierspitze auf dem Geisterhaus des Palastes (*Djexo*) steht, um den Geist des Königs während der jährlichen Gedenkzeremonien zu ehren. Das Werk besteht aus gehämmertem Metall (Silber) auf einem Holzkern. Diese Herangehensweise, charakteristisch für die Arbeitstechniken der heimischen Dahomey-Künstler, die sich in *Bocio* und anderen Formen ausdrückten, nutzt das teuer importierte Metall effektiv aus.

Fon-Künstler der Hountondji-Gilde
Schiffsförmige Xotagatin-Zierspitze für den Dahomey-König Agadja
Fon-Republik Benin, frühes 20. Jahrhundert
Holz und Silber,
Höhe 23 cm
Musée Africain de Lyon

Agadjas schiffsförmige Zierspitze zeugt vom europäischen Handel, aber auch von der unheiligen Beziehung zwischen dem zunehmenden Menschenhandel und dem Eintreffen von Luxusgütern – wie teuren Stoffen, Alkohol, Tabak und Feuerwaffen –, die den Status am Hof und das Wohlbefinden definierten.

Ayizo-Holzschnitzer
Ayizo- (Fon-, Yoruba-)
Divinationsbrett
Republik Benin,
17. Jahrhundert
Holz, 34,4 x 55,7 cm
Museum Ulm

Bei den Ayizo, Fon und Yoruba spielt das Wahrsagen eine große Rolle beim Treffen von Entscheidungen zu kurz- und langfristigen Problemen – Gesundheit, Jobs, Ehe, Kinder, Unfälle und Nachfolgeregelungen. Die Wahrsagepraxis, Ifa (Fa) genannt, steht unter dem Schutz des Orunmila, des Hüters der Weisheit und des Wissens.

Wissenschaftliche Untersuchungen von Werken aus Dahomey zeigen bemerkenswert niedrige Silberwerte im Verhältnis zu den Legierungen, was ihre einzigartige Kunstfertigkeit beweist. Diese Arbeit aus gehämmerten europäischen Silbermünzen wurde von der königlichen Gilde der Metallarbeiter hergestellt. Sie ist Teil der Dahomey-Tradition, Werke, die durch Feuer o. Ä. verloren gegangen sind, als Teil eines »erneuerten« Korpus überkommender Werke umzuarbeiten.

Das Wahrsagen, das der Lebensbewältigung und der Stärkung der sozialen Normen dient, ist zentraler Bestandteil afrikanischer Kunst. Auf jedem Yoruba- und Fon-Divinationsbrett (oben) ist das Gesicht von Eshu (Legba) abgebildet, des Boten- und Trickster-Gottes, der zwischen Menschen, Ahnen und Göttern vermittelt. Eshu verfälscht Botschaften manchmal bewusst, was zu Problemen führt. Deshalb wird er bei jedem Opfer bedacht. Als Gott der Kreuzwege und Märkte kann er den Lebensweg erleichtern, aber auch verderben.

Dieses Ifa-Divinations- oder Wahrsagebrett, eines der ältesten noch vorhandenen, wurde möglicherweise im 18. Jahrhundert von einem Ayizo-Künstler aus der Region Allada im Königreich Dahomey geschaffen. Es vereint runde und eckige Formen (die zwei vorrangigen Brettformen). Die Komplexität und Vielfalt der Motive auf dem Rand zeigt uns, dass es entstand, als die Ifa-Wahrsagung in Dahomey eingeführt wurde und eine frühere Form ersetzte, die mit wasser- und kieselgefüllten Behältern arbeitete. Unter den Elementen auf dem Rand befinden sich Klopfer aus Elfenbein oder Holz, mit denen die Mächte heraufbeschworen werden, die einer Wahrsagesitzung beiwohnen sollen, sowie Tiere, Menschen und andere Formen aus den 256 Odu-Zeichen des Ifa. Beim Wahrsagen werden die Odu-Zeichen auf dem mit Holzstaub bedeckten Brett notiert. Wahrsager lesen die Muster als Botschaften der Ahnen, Götter und Geister und beantworten damit gestellte Fragen. Ähnliche Formen des Ifa-Wahrsagens sind in der ganzen Region verbreitet – Igbo, Nupe, Benin.

Das Ifa entstand wahrscheinlich etwa 1200–1300, als äußerlich ähnliche Systeme im Umlauf waren. Patron des Ifa ist der Yoruba-Gott des Wissens und der Weisheit, Orunmila. Vermutlich geht es auf *al-Rami* (Sandwahrsagerei) zurück. Sein Name könnte sich von *al-fa'l* (Arabisch für Glück, gutes Omen) ableiten. Muslimische Yoruba-Heiler schreiben es dem algerischstämmigen Philosophen Ahmad al-Buni (gest. 1225) zu, der aus früheren arabischen und lateinischen Quellen schöpfte. Es könnte aber auch über Persien eine Verbindung zur chinesischen Wahrsagerei geben. Egal, wie weit gefächert die Quellen des Ifa sein mögen, heute ist es vor allem ein Yoruba-Brauch. Es ist die Basis eines komplexen philosophischen, religiösen und politischen Systems gleicher Überzeugungen und Methoden. Die 256 Ifa-Zeichen dienen als Zugang zum kollektiven Gedächtnis der Yoruba und dürfen nur von eingeweihten Priestern ausgelegt werden.

Der den Aschanti heilige »Goldene Stuhl« (*Sika Dwa Kofi*, »Goldener Stuhl, geboren an einem Freitag« – unten) verkörpert den Geist der Aschanti-Nation – Vergangenheit, Gegenwart und Zukunft. Bei der Krönung des Asantehene (Aschanti-Herrschers) wird dieser über den Stuhl erhoben und abgesenkt, ohne ihn tatsächlich zu berühren.

Holz-und-Gold-Bildhauer der Aschanti
Goldener Stuhl der Aschanti auf seinem königlichen Stuhl während einer Zeremonie
Ghana
Originalstuhl, ca. 1700

Auf diesem Foto befindet sich der heilige Thron neben dem Aschanti-König – er liegt auf einem eigenen zeremoniellen Stuhl. Die Glocken, gegossenen Figuren und anderen Gegenstände zeugen von den Eroberungen und der Vereinigung der Aschanti. Höflinge mit Ritualschwertern, deren Griffe nach vorn zeigen, sitzen vor dem Asentehene und dem Goldenen Stuhl.

Aschanti-Goldgießer
»Worosa«-Kopf der Aschanti
Ghana, ca. 1770er
Goldguss,
20 x 14,5 x 14 cm
Wallace Collection, London

Solch ein goldener Schwertschmuck in Kopfform wird als »Worosa-Kopf« bezeichnet, benannt nach einem Anführer aus dem nördlichen Banda-Land, der etwa 1765 hingerichtet wurde, weil er Aschanti-Händler getötet hatte. Der Schutz der örtlichen und überregionalen Handelswege war eine wichtige Aufgabe der Könige.

Dann wird der Thron neben dem Herrscher (der ihn als Einziger berühren darf) auf einer eigenen Unterlage platziert, da er nie den Boden berühren darf. Wie die Skulptur auf Seite 96 ist der Stuhl nicht nur ein Bildnis aus Metall und Holz, sondern auch ein Werk, das ein früheres Werk spirituell neu verkörpert. Die Legende besagt, dass der erste Goldene Stuhl vom Himmel herabkam und bei einer an einem Freitag stattfindenden Versammlung unter einem Kum-Baum zu Füßen des Aschanti-Gründers Osei Kofi Tutu I. (ca. 1660 bis ca. 1717) landete. Der Priester Okomfo Anokye erklärte, der Goldene Stuhl enthielte die Seele der Nation. Schon bald wurden als Zeichen der Einheit andere Stühle durch Abbilder dieses himmelsgesandten Modells ersetzt. Gold hielt nicht nur dieses System aufrecht, sondern verkörperte auch die Lebensenergie und das Wohlsein aller lebenden und verstorbenen Aschanti. Osei Tutu sorgte für den Wechsel des historischen Goldhandels von den alten Transsahara-Routen durch Mali zum atlantischen Handelsnetzwerk, was zur Entstehung zahlreicher europäischer Handelsposten an der Küste führte.

Gold kommt auch in anderen Kunstformen der Aschanti (sowie im weiteren Akan-Gebiet) zum Einsatz. Diese Trophäe, die einen feindlichen Anführer darstellt, war einst an einem Zeremonialschwert befestigt und wurde öffentlich zur Schau gestellt. Hochrangige Feinde zu ehren war wichtig. Als Worosas abgetrennter Kopf in der Aschanti-Hauptstadt Kumasi eintraf, diente er als Modell für den Guss der Goldversion. Die Abnutzung der Skulptur erlaubt eine Datierung auf die 1770er-Jahre. Vermutlich ist dies Worosa selbst. Der Bart ist ein Statussymbol. In Benin ehrte man hochrangige tote Feinde mit Bronzeköpfen. Die Befestigung des goldenen Kopfes und anderer Goldobjekte (Miniaturteekannen, Punschschüsseln oder Kanonen) an Zeremonialschwertern schlägt den Bogen zwischen der Kriegsführung der Aschanti und dem Handel (Alkohol, Prestigeobjekte, Waffen).

MALI, MAROKKO UND NORDNIGERIA

Am Ende der Dynastie von Mansa Musa im 14. Jahrhundert in Mali stieg weiter östlich die mächtige Songhai-Dynastie in der am Niger liegenden Hafenstadt Gao (heute in Niger) auf und umfasste auch Timbuktu und andere Zentren. Unter den Songhai behielt Timbuktu seine Bedeutung als Zentrum von Handel und Bildung sowie als Achse der Transsahara-Routen nach Nordafrika und darüber hinaus. Besonders mächtig war der Songhai-Anführer Mohammad Ture (Askia Mohammad I. oder Askia der Große – reg. 1493–1538). Obwohl kein Mitglied der königlichen Familie, wurde er oberster Minister und

Songhai-Architekt
Grab von Askia Mohammed I.
Gao, Niger, ca. 1550
Lehm und Holz

Lautsprecher, die auf der Moschee befestigt sind, rufen heute jeden Tag zum Gebet. Die aus dem Mauerwerk herausragenden Holzsprossen erlauben den Männern, die das Gebäude regelmäßig neu verputzen, einen bequemen Aufstieg. Diese hölzernen Elemente ziehen außerdem die Feuchtigkeit aus dem Inneren und sichern so ihren Bestand über die Jahrhunderte.

Berber-Architekten
Ksar (Festung) in der Oase *Aït* Benhaddou Marokko, 17. Jahrhundert

Lehmgebäude mit dekorierten Fassaden spiegeln den Wohlstand dieser großen Oasen-Siedlungen während dieser Zeit des Handels wider. Die marokkanische Regierung bemüht sich um die Restaurierung und Bewahrung dieser *Kasbah*-Architektur, von denen einige heute oft auch als Kulissen für Kinofilme genutzt werden.

entthronte den Sohn des Herrschers, dem er einst gedient hatte. Als Anführer einer 3.000 Mann starken Truppe erweiterte Askia Muhammed durch Kriegszüge nach Osten, Westen und Norden das Songhai-Reich und eroberte auch wertvolle Salzminen in der Sahara. Sein Nachfolger Askia Ishaq I. (1539–1549) errichtete zu seinen Ehren ein pyramidenförmiges Denkmal aus Lehm (gegenüber); die Holzsprossen erlauben das Besteigen des Gebäudes. Die Struktur erinnert an die großen ägyptischen Pyramiden, die der Herrscher zweifellos bei seiner Hadsch gesehen hat (1497–1498), und ähnelt den Kuppeln nordafrikanischer Heiligengräber und westafrikanischer Schreinhügel, die Ahnen, Geister und Gottheiten beherbergten. 1591 verloren die Songhai die Kontrolle über Salzminen und Transsahara-Handel, die von den Berbern übernommen wurden. Nördlich von Timbuktu wurden die architektonisch reichen Oasen in der Sahara zu wichtigen Karawanen- und Kunstzentren mit beeindruckenden Befestigungen und schönen Fassaden (oben).

Viele Felsbilder der Berber befinden sich in der Nähe der Karawanenstrecken.

Weiter östlich, rund um den Tschadsee, in Hausa-, Bornu- und ähnlichen Gemeinschaften im nördlichen Nigeria und Kamerun feierte

eine mittelalterliche und frühneuzeitliche Tradition reich gepanzerter Kavallerie (und manchmal mit Kettenhemden geschützter Reiter) den königlichen politischen Status und die Reiterkunst (oben). Aus mehreren Schichten Stoffe fertigte man bunte Schutzkleidung für Pferde und Reiter und bestickte sie mit auffälligen asymmetrischen Mustern. Die Ursprünge dieser Tradition liegen weiter östlich im mittelalterlichen Ägypten und Sudan und kamen wahrscheinlich auf dem Landweg in die Gegend. Als der in Granada geborene und in Fès aufgewachsene Reisende Leo Africanus (al-Hasan ibn Muhammed al-Wazzan Al Fasi) im frühen 16. Jahrhundert in das Gebiet am Tschadsee reiste, traf er einen ägyptischen Reisenden im Königreich Gaoga, der teure Geschenke für dessen Herrscher mit sich führte – gut ausgebildete Pferde, Kettenhemden und Schusswaffen. Dafür wurden Elfenbein, Sklaven und lokale Güter eingetauscht. Leo Africanus beschrieb Gaoga als christliches Königreich, und auch einige Regionen in Bornu (Tschad und nördliches Nigeria) waren zu der Zeit christlich.

Daura-Hausa-Reiter während des Gani (Durbar-Festival)
Daura, Katsina, Nigeria, frühes 21. Jahrhundert

Die modernen Hausa-Gani- (Durbar-) Festivals, bei denen Reiter Kunststücke vorführen, gehen wahrscheinlich auf das Mittelalter zurück, in eine Zeit, die sowohl islamisch als auch koptisch beeinflusst wurde.

OSTAFRIKANISCHE ZIVILISATIONEN

Die dekorativen Motive, die seit dem 17. Jahrhundert an der Swahiliküste in Kenia, Somalia und Tansania in kunstvolle Holztüren geschnitzt wurden (gegenüber), spiegeln eine komplexe Mischung aus Kulturen und Ideen wider. Die meisten noch vorhandenen Beispiele sind aus dem 19. Jahrhundert und wurden von wohlhabenden Bürgern in Städten wie Lamu und Stone Town, Sansibar, in Auftrag gegeben. Man findet abstrakte geometrische Muster mit kalligrafischen und arabeskenartigen Elementen ebenso wie Formen aus der Natur: Rosettenmustern, Lotusblüten (Symbol des Wohlstands), Seile und Palmen. Diese Dekorationen passen zum Umfeld am Indischen Ozean – Afrika, arabische Halbinsel und Indien. Türen aus Sansibar besitzen meist tiefere Reliefs und mehr figürliche Elemente. Manche Auftraggeber ließen sie direkt von Künstlern in Mumbai und anderen Orten in Indien fertigen.

Die Gebäude, an denen diese Türen zu finden waren, bestanden oft aus Korallen aus dem Meer, was Stone Town und anderen Orten einen rötlichen Farbton verlieh.

Sansibar war bekannt für seinen Elfenbeinhandel. Außerdem handelte man dort mit Sklaven aus dem Inneren Afrikas. Mächtige Sultane wie Barghasch und reiche Händler wie der Sklavenhändler Tippu Tip

Swahili-Holzschnitzer
Tür
Stone Town, Sansibar,
Tansania, 19. Jahrhundert
Holz und Metall

Manche der Türmotive, wie die kannelierten Säulenelemente und die korinthisch anmutenden Kapitelle sind offensichtlich europäisch beeinflusst. Die Weinranken oder der dekorative Pflanztopf repräsentieren angeblich den Gewürzhandel, der über die Jahrhunderte für Wohlstand sorgte.

Amharische Architekten
Königliches Zentrum von Gonder
Äthiopien, 17. Jahrhundert

Diese komplexe Ansammlung von Gebäuden war von einer Mauer umgeben, deren 12 Tore an die vielen Aktivitäten in diesem Ort erinnerten – Richter, Spinner, Begleiter der Königin, Musiker, Kammerdiener, Anführer der Kavallerie, Tauben und Geschenke. Nahe dem ummauerten Zentrum von Gonder befanden sich der Hauptmarkt und ein Truppenaufmarschplatz.

(1832–1905) hatten in ihren Residenzen besonders aufwendig gestaltete Türen. Sansibar und Kilwa Kisiwani kamen unter portugiesische Kontrolle und wurden schließlich portugiesische Tributstaaten. 1505 zerstörte ein Feuer einen Großteil der Stadt Kilwa. Im selben Jahrhundert wurde in der Nähe des damaligen Palastes eine Festung (die »Gefängnis«-Festung Gereza, auch arabische Festung genannt) gebaut und bildet eine sichtbare Erinnerung an das abscheuliche Erbe der Sklaverei. Herrscher aus Oman ersetzten schließlich die lokale Herrschaft auf Sansibar und eroberten 1784 Kilwa, das später von den Franzosen, dann von Deutschen (1886–1918) und schließlich bis zur Unabhängigkeit von Engländern besetzt und kontrolliert war.

Ganz andere Faktoren und kunsthistorische Entwicklungen spielten sich nordwestlich in Äthiopien und seinem neuen Zentrum Gonder (1632–1855, oben) ab. Dieser Ort wurde als politische und religiöse Hauptstadt von einer Reihe von Kaisern bewohnt, beginnend mit Fasilides (reg. 1632–1667) bis Iyasu II. (reg. 1730–1755). Bis zum 16. Jahrhundert hatten äthiopische Herrscher keine feste Hauptstadt, sondern reisten zwischen verschiedenen Orten umher. Ab 1559, zur Zeit des Kaisers Menas, kehrten Herrscher während der Regenzeit an die christlichen Stätten am Tanasee zurück (nahe den ersten Kirchen und vorhandenen Manuskripten). 1635 gründete Fasilides Gonder, als er einem Büffel zu einer Wasserquelle folgte. Der Ort wurde ***Katama*** (»Lager«) genannt – eine Erinnerung an die früheren unbeständigen königlichen Siedlungen. Zusätzlich zu einer Burg ließ Fasilides sieben Kirchen bauen. Auch fünf nachfolgende Kaiser erbauten hier Paläste.

Im 17. Jahrhundert war die Bevölkerung von Gonder auf etwa 60.000 gewachsen. Die nun dominierende äthiopisch-amharische Kultur blühte. Kaiser Fasilides betrieb von 1632 bis 1667 eine Politik der Isolation und beendete die diplomatischen Beziehungen und den Handel mit Europa. Stattdessen verbündete er sich mit den muslimischen Herrschern an der Küste und stellte die Verbindungen zu Äthiopiens eigener christlichen Kirche wieder her. Die neue Hauptstadt Gonder half, die Gegend vor Missionierungsversuchen von außen und dem Einfall der größtenteils nicht-christlichen Oromo im Süden zu schützen. Der Fasil Ghebbi genannte Gebäudekomplex in Gonder (nach dem amharischen Begriff für Gelände oder Anlage) schließt nicht nur Fasilides' Schloss, sondern auch die Wohnsitze seiner Nachfolger, mehrere Kirchen, einen Hof, eine Banketthalle, eine Bibliothek, Bäder und Pferdeställe ein. Das Zentrum spiegelt verschiedene Baustile wider – nubisch, arabisch, Hindu und jesuitischer Barock. Am Bau waren indische Arbeiter beteiligt. 1668 teilte der Kirchenrat die Bevölkerung Gonders entsprechend der Anordnung in Jerusalem nach Religion und Kultur in verschiedene Stadtviertel ein. In Gondar waren dies Muslime, Beta Israel (äthiopische Juden), Kirchenhierarchie und Adel. Nach 1769 wohnten zwar weiterhin Kaiser hier, doch die mächtigsten Personen wurden Statthalter aus anderen äthiopischen Regionen.

WICHTIGE IDEEN

- Während der frühen Neuzeit verlagerten sich viele Machtzentren an die Küsten, wo viele europäische Festungen gebaut wurden, die Luxusgüter und Waffen im Austausch für immer mehr Sklaven lieferten.
- Versklavung durch äußere Mächte und neue Formen der Bewaffnung brachten Not und Elend in viele Gebiete, während Missionierungs- und Bekehrungsbemühungen zunehmend mit dem Handel einhergingen.
- Der Import von Bronze und Eisen regte die Herstellung neuer Kunstwerke an – Guss und andere Skulpturen.
- Hochstehende, im Kampf getötete Gegner wurden manchmal durch Kunstwerke geehrt.

WICHTIGE FRAGE

- Welche künstlerischen Praktiken in anderen afrikanischen Gebieten wurden möglicherweise nicht direkt durch die Ereignisse an den Küsten und den Sklavenhandel beeinflusst?

HISTORISCHE VERMÄCHTNISSE (1650–1950)

-

Lange Her lebte nicht lange her.

-

Sprichwort aus Simbabwe

Dieses Kapitel untersucht drei besonders wichtige Regionen mit epochenübergreifenden Kunstwerken. Jede ist durch ein großes Flusssystem charakterisiert: das Kongo-Becken und das benachbarte Atlantikgebiet, das Niger-Benue-Flusssystem von Nigeria sowie das Binnendelta des Niger im heutigen Mali. Viele der hier vorgestellten Kunstwerke galten einst als »traditionell« oder »klassisch« afrikanisch, so als hätten sie sich niemals geändert. Dabei ist ihr Wandel ganz eindeutig, obwohl Aspekte ihrer Langlebigkeit bis ins 19. und 20. Jahrhundert hinein ein wichtiger Teil dieses Erbes sind. Sie wurden während der Kolonialzeit gesammelt – von Familien oder Gemeinschaften, die zu »fremden« Religionen (Christentum, Islam) konvertierten, oder als Teil westlicher wissenschaftlicher Expeditionen, sowie für die finanzielle Entschädigung durch örtliche und fremde Kunsthändler. Sie bezeugen nicht nur die faszinierende Kreativität afrikanischer Künstler, sondern zeigen auch, wie wichtig diese Formen für Bevölkerung und Außenstehende gleichermaßen sind, auch wenn manche religiösen Gruppen sie als potenziell gefährliche Ikonen lange vergangener religiöser Traditionen ansehen.

Die Kunst des Kongo-Beckens bietet einen Einblick in den Umgang mit Fragen wie Tod und Gedenken, örtliche Führerschaft und die Anerkennung der Geschichte. Auch am Zusammenfluss von Niger und Benue sind diese Faktoren von Bedeutung, genau wie die Rituale von königlichen Machtwechseln, Ernten und Ahnenzeremonien, die Gemeinschaften zusammenschweißen. Im Binnendelta des Niger erleben wir nicht nur die Bedeutung von privilegiertem Wissen, das sich in der Kunst ausdrückt, sondern auch die wichtige Rolle der Landwirtschaft. Wir sehen regionale und überregionale Ergänzungen zur Kunst. Die meisten afrikanischen Wissenschaftler verwenden heute nicht mehr die eher abwertenden Begriffe »Stamm« oder »Stammes…«: Harte geografische und stilistische Unterschiede sind kaum auszumachen und es ist exakter, diese Ideen in regionale Konzepte zu fassen, wie Kulturen, Zivilisationen, Gesellschaften, Berufe oder Zusammenschlüsse. Viele dieser Künste werden sogar heute noch praktiziert, auch wenn nur wenige von ihnen noch die ursprüngliche Rolle spielen. Zeitgenössische afrikanische Künstler und andere wenden sich zunehmend diesen historischen regionalen Werken zu.

DAS ERWEITERTE KONGO-BECKEN (GABUN, KONGO, ANGOLA)

Das Flusssystem des Kongo sowie die benachbarte Äquatorialregion ist die Heimat vieler wichtiger Kunstrichtungen. In dieser Gegend finden sich dichte Regenwälder ebenso wie Grassavannen. Früher wurde sie vor allem von Mbuti, Batwa, »Pygmäen« und anderen nomadischen Gruppen besiedelt. Bantu-sprechende Einwanderer brachten neue Techniken und kulturelle Werte sowie besondere Heiler (Nganga) mit. Das um 1400 entstandene Königreich Kongo konnte seine Bedeutung bis in die frühe Neuzeit, die Kolonialära und darüber hinaus bewahren. Im 17. und 18. Jahrhundert entwickelten sich weitere große Königreiche – Kuba, Luba und Chokwe/Lunda –, an deren Höfen eine reiche und lebhafte Kunst gepflegt wurde. Die Veränderungen der Kolonialzeit – neue Anbaupflanzen, Führungsmodelle, strategische Allianzen und finanzielle Vorteile aufgrund überregionaler Handelsrouten – hatten tiefen Einfluss.

Holzschnitzer der Okak-Gruppe
Weibliche *Bieri*-Figur der Fang
Gabun,
19.–20. Jahrhundert
Holz, 64 x 20 x 16,5 cm
Metropolitan Museum of Art, New York

Der Körper und die Gesichtszüge dieser Skulptur deuten sowohl eine weibliche Form an als auch den rundlichen Körper eines Kleinkindes; beide Vorstellungen entsprechen den Rollen, die von den Ahnen eingenommen werden, um neue Kinder in diese Welt zu bringen.

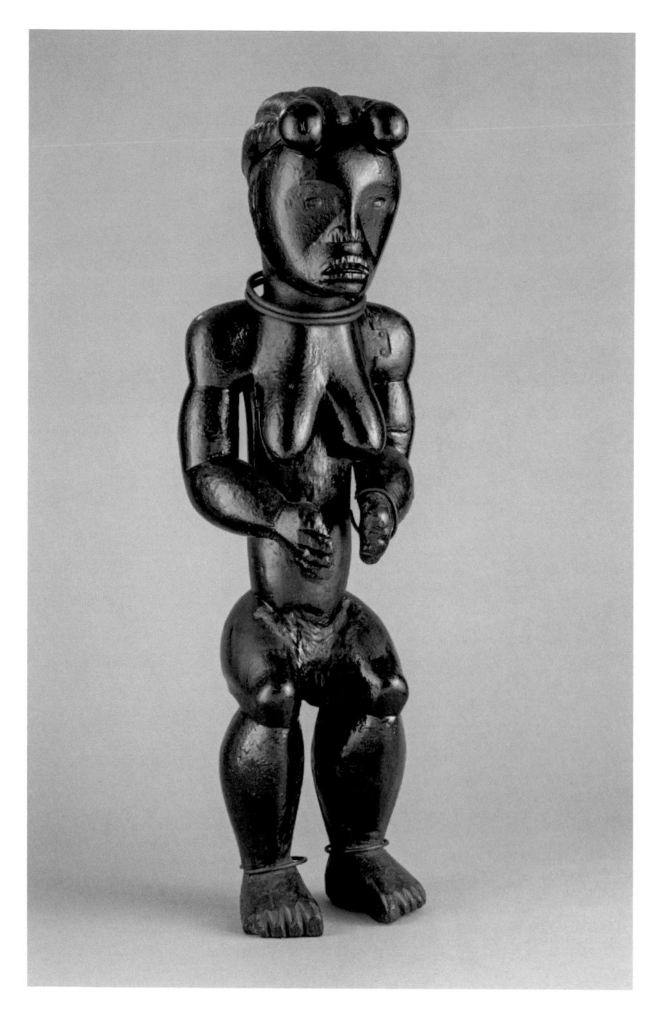

In Gabun lautete eine wichtige Frage stets, wie man der Toten gedenken solle, wenn man alle paar Jahre zu neuen Anbaustätten umzog. Die Fang und Kota fanden hierfür eine visuell machtvolle Lösung. Spezielle Wächterfiguren wurden an Körben oder Kästen mit den Knochen wichtiger Ahnen befestigt. Die Skulpturen, die von den Anführern der Dörfer mitgeführt und bei Zeremonien benutzt wurden, erzählen nicht nur von den Genealogien der Familien, sondern auch von der Rolle der Kunst beim Bewahren historischer Bindungen. Das Fang-Beispiel (vorherige Seite), *Bieri* genannt, ist bemerkenswert wegen seiner ovalen Formen: Die Arme scheinen zugleich einem Säugling und einem Erwachsenen mit ausgeprägten Muskeln zu gehören. Gegenwart, Vergangenheit und Zukunft sind vereint. Die Kota-Arbeit (unten), ein *Mbulu Ngulu*, ist eher zweidimensional mit ihrer Komposition aus geraden Linien und Kurven, dem schmal angedeuteten Körper und den breiten Schultern. Beide Figuren haben gewölbte, herzförmige Gesichter und ähnlich geformte Augen (typisch für das Gebiet von Gabun).

Kota-Künstler
Reliquienfigur
(*Mbulu Ngulu*)
Gabun,
19.–20. Jahrhundert
Holz, Kupfer und Messing,
73,3 x 39,7 x 7,6 cm
Metropolitan Museum
of Art, New York

Das gewölbte, kupferverkleidete Gesicht der Skulptur ist von einer nach außen und oben geformten Frisur und einer Helmzier umrahmt. Die kontrastierenden, kupferbasierten Farben und die abgewinkelte Positionierung der Metallverkleidung ziehen die Aufmerksamkeit auf das Gesicht und erinnern an die Bedeutung, die Kupfer als wichtiges Handelsgut genießt.

Yombe-Kongo-Künstler
Mutter-und-Kind-Gruppe
Demokratische Republik Kongo,
19.–20. Jahrhundert
Holz, Glas, Polsternägel, Metall und Harz,
27,9 x 12,7 x 11,4 cm
Brooklyn Museum, New York

Eine Tradition behauptet, dass eine bekannte Hebamme das erste *Phemba* in Auftrag gab. Der Name bezeichnet die Rolle der spirituellen Welt bei der Zeugung und die Verbindung, die der Säugling mit ihr hat. In vielen dieser Arbeiten sind die Augen des Babys geschlossen, so als wäre es tot – möglicherweise ein Verweis auf die höhere Kindersterblichkeit unter den Härten der Kolonialzeit.

Eine Tradition des unteren Kongo besteht aus hölzernen Mutter-und-Kind-Figuren (oben), die nicht nur die Verstorbenen einer Familie ehren, sondern auch die Gründer des Geschlechts – die Frauen, von denen die matrilinearen männlichen Anführer ihre politische Macht herleiteten. Die aufwendige Frisur deutet auf eine hochgestellte Person hin. Diese Yombe-Skulpturen wurden in speziellen Schreinen oder bei Wahrsagern aufbewahrt. Die Plattform, auf der die weibliche Figur sitzt, erinnert an diejenigen der Kongo-Könige. Die gläsernen Augen ziehen den Betrachter an und verstärken den emotionalen Eindruck. Der Name des Werkes, *Phemba* (»Weiß«), bezieht sich auf das helle Holz sowie auf die Verbindung zur Welt der Ahnen. Der Mund der Figur ist leicht geöffnet, als würde sie sprechen. Die Haltung der Mutter mit dem Baby erinnert an christliche Mariendarstellungen und ist vielleicht eine Reflexion früher Missionierungsbestrebungen.

Kuba-Künstler
Mboom-Maske
Demokratische Republik Kongo,
19.–20. Jahrhundert
Holz, Messing, Perlen und organisches Material,
32 x 26,5 x 31,5 cm
Yale University Art Gallery, New Haven

Diese Maske erinnert an das Erbe der indigenen Bewohner, die den mythischen Korb der Weisheit gefunden haben, sowie an heimische Naturgeister (*Mingesh*). Sie wird bei königlichen Veranstaltungen benutzt, bei denen die Gründung des Königreichs gefeiert wird.

Ein königlicher Mythos der Kuba berichtet vom Kulturheros Woot, der, betrunken von Palmenwein, den Korb mit der Weisheit verlor, den ihm der Schöpfergott Mboom gegeben hatte. Ein Batwa/Twa-Pygmäe fand den Korb und übergab ihn etwa 1625 an den Gründer des Kuba-Reiches, Shyaam aMbul aNgoong. Wie die Mythen über die Reisen des Anführers in andere politische Zentren dieser Gegend soll diese Legende Landnahme und Eroberung durch neue, Eisen bearbeitende und Landwirtschaft betreibende Völker rechtfertigen, und spiegelt die Bantu-Migration in dieses Gebiet wider. Woot wird in einer Kuba-Maske geehrt, die auch Mboom darstellt (gegenüber). Diese Maske zeigt die breitere Stirn eines Pygmäen, das Kinn erhoben und mit Bart – das Symbol eines Ältesten. Sie scheint von oben herabzuschauen. Das geometrische Muster symbolisiert Woot selbst.

Das Luba-Königreich im Süden wurde etwa 1585 von Kongolo Mwamba nahe den immer noch wichtigen Kupferminen gegründet. Die Luba entwickelten ein wichtiges neues Regierungsmodell (Mbudye), das später vom Chokwe- und dem größeren Lunda-Reich übernommen wurde. Luba-Erinnerungsbretter (*Lukasa* –

Luba-Künstler
Lukasa-Erinnerungsbrett
Demokratische Republik Kongo, 19. Jahrhundert
Holz, Perlen und Metall,
Höhe 34 cm
Privatsammlung

Der menschliche Kopf oben auf dem Brett steht für Häuptlinge, wichtige Ahnen und Mbudye-Verbündete. Die Gesamtform des Brettes mit ihren Erweiterungen an den Ecken und dem Schwanz soll ein Krokodil verkörpern, das sowohl an Land als auch im Wasser zu Hause ist und auf die symbiotische Beziehung zwischen den Mbudye-Anführern und dem Herrscher verweist (die hier als Eigentümer des Landes stehen – *Kaloba*).

vorherige Seite) dienten als symbolische Karten zur Darstellung von Geschichte, Landschaft und soziopolitischen Beziehungen dieses Gemeinwesens. Es sind Unikate, die ihre einzigartigen Merkmale nach einer Weissagung durch einen Seher oder ein Geistmedium erhalten. Sie gehören den Mitgliedern des Luba-Rates (Mbudye), deren Aufgabe es ist, die Luba-Staatsangelegenheiten entsprechend den historischen Prinzipien zu leiten; diese Männer und Frauen dienen als Gegengewicht zu den lokalen Anführern. Mbudye-Mitglieder steigen mit zunehmendem Wissen auf – nur die weisesten von ihnen können die symbolischen Motive des *Lukasa* erschaffen oder entschlüsseln. Geometrische Elemente (Bögen, Kreise, Rechtecke) begrenzen Gebäude wie den Königshof oder das Versammlungshaus des Mbudye. Eine Raute erinnert an die Geisterorte (*Kitenta*) mit den Gräbern früherer Könige oder an Schildkrötenpanzer (Symbol der Gründungsahnin, die mit einer Schildkröte gleichgesetzt wurde). Die Tradition früherer Königshöfe als Geisterorte findet sich auch bei den Kongo, Kuba und Chokwe. Der Grundriss der Lunda-Hauptstadt gleicht einer Schildkröte – eines Tieres, das für seine Langlebigkeit und Mobilität bekannt ist.

DAS NIGER-BENUE-GEBIET IN NIGERIA (IGALA, BENIN, YORUBA, IGBO)

Das Gebiet von Niger und Benue (heute Nigeria) ist Heimat vieler bemerkenswerter Kunstwerke. Hier gab es einzigartige Werkstätten für spezielle Techniken – von Eisenarbeiten über Bronzeguss bis zu Keramik und komplexen Holzschnitzereien. Es entstanden riesige Reiche (Benin, Hausa und Yoruba) sowie dynamische Regierungsstrukturen mit Ältestenräten statt Königen (Igbo und benachbarte Gruppen). Niger und Benue dienten als Handelsrouten. Britische Entdecker berichteten Anfang des 19. Jahrhunderts, dass auf dem Fluss doppelt so viel Verkehr herrschte wie auf dem Oberrhein in Deutschland. Der lokale und regionale Handel ließ große urbane Gemeinwesen und Bevölkerungszentren entstehen, in denen Künstlergilden und Spezialisten von reichen Mäzenen profitierten – Königen, religiösen Vereinigungen usw.

Igala-Kunsttraditionen künden von ihrer Bedeutung in der politischen Geschichte der Region. Das Igala-Königreich kontrollierte für lange Zeit das Ostufer des Niger-Benue-Bogens. Auch andere Gruppen – vor allem Yoruba und Nri Igbo – führen ihren Ursprung auf diese Region zurück. Die helmförmigen Igala-Agba-Masken (gegenüber) zeigen manchmal schöne senkrechte Markierungen, die an die Gesichtsmuster der Ife-Yoruba-Anführer der ersten

Igala-Holzschnitzer
Igala-Helmmaske
Nigeria,
19.–20. Jahrhundert
Holz, Höhe 33 cm
Sammlung Wolf-Dietrich Nickel
Museum am Rothenbaum, Hamburg

Agba-Masken wurden bei Festen getragen, die die Gründer der königlichen Linie (und die aktuellen Herrscher) feierten sowie bei entsprechenden Begräbnissen. Igala-Masken handeln sowohl von königlichen als auch nichtköniglichen Historien, da manche Maskerade-Traditionen durch militärische Siege eingeführt wurden. Ob sie sich nun auf eine echte Schlacht oder nur auf die Bedeutung des Krieges beziehen – diese Arbeiten künden von den Geschichten eines Ortes und vom Wandel.

Dynastie in der Kunst um ca. 1300 erinnern. Die Motive zeugen ebenso von der engen Verbindung zwischen diesen Kulturen wie ihre Sprache (60% verwandte Elemente) und Geschichte. Man trug Igala-Agba-Masken bei den jährlichen Egu-Ahnenzeremonien (wie den Yoruba-Egungun-Maskeraden) sowie bei den Erntefesten zu Ehren der Ahnen, bei denen man die neue Yams-Ernte feierte. Die Tradition der jährlichen Maskeraden zum Totengedenken gibt es auch im Gebiet der Igbo. Die Tatsache, dass mehrere Ife-Skulpturen der Yoruba in Tada, nahe der Igala-Hauptstadt (Idah) untergebracht waren, spricht für diese regionalen Verbindungen, genau wie der Bronze-Bogenschütze aus derselben Gussgruppe von der Niger-Insel Jebba, der Igbo-Nri-Gesichtsmarkierungen zeigt.

Ein aus dem 19. Jahrhundert stammendes Elfenbeinarmband der Owo Yoruba (unten) wurde bei Krönungsriten verwendet. Deutlich zu erkennen sind fischbeinige Formen (Wesen, die halb Mensch, halb Fisch sind), die hier mit dem Gott Olokun identifiziert werden. Bei

Owo-Yoruba-Elfenbeinschnitzer
Owo Yoruba – königlicher Armreif
Nigeria,
17.–19. Jahrhundert
Elfenbein,
19,1 x 10,5 x 10,5 cm
Metropolitan Museum of Art, New York

Dieser Armreif wurde bei Ore-Riten getragen, die im Zusammenhang mit den Owo-Ursprüngen in Ife standen. Einer dieser fischbeinigen Figuren wird ein reich gekleideter König präsentiert, dessen nach außen gedrehte Beine sich in Schlammfisch verwandeln, ein Verwandlungsthema. Manchmal hält er (wie ein Dompteur) Krokodile oder Leoparden hoch. Oder es befinden sich, so wie hier, gefährliche Tiere in der Nähe.

den Yoruba treten diese Sirenen und Meermänner oft in Verbindung mit der Krönung auf und sind in Kunstwerken der mächtigen Ogboni- und Obalufon-Gemeinschaften zu finden. Im Königreich Benin werden Sirenen sowohl mit Olokun als auch mit dem gelähmten König Ohen assoziiert, auch wenn die Könige normalerweise mit »perfekten« Körpern dargestellt wurden. Ähnliche Fischmenschen findet man auch in früheren afrikanischen Kunstwerken anderswo – darunter der Horus-Stele aus der ägyptischen Spätzeit (S. 49). Sirenen gibt es auch in griechisch-römischen sowie mittelalterlichen afrikanischen Formen (einschließlich koptischen Textilien), was beweist, wie weit diese Motive in Afrika gereist sind. Nach 1450 könnte das Sirenenmotiv mit europäischen Schiffen und Drucken erneut eingetroffen sein.

Fischbeinige Figuren zeugen von der weiten geografischen Ausbreitung ungewöhnlicher Motive, vor allem der Ostwestroute zwischen Tschadsee und Niltal.

Igbo-Künstler tauschten sich über Jahrhunderte mit ihren Nachbarn – den Igala, Yoruba und Benin – aus. Die Igbo sind ein alteingesessenes Volk von Bauern, Händlern und Handwerkern an den Flüssen Niger und Benue. Manche Igbo-Gruppen werden von göttlich sanktionierten Priestern geführt, andere haben Älteste, die durch eigene Verdienste sowie die Unterstützung ihrer Familien gewählt werden. Persönliche Initiative und Stärke gelten als Garant für Sieg und Erfolg. Igbo-Maskeraden (umseitig) vereinen genau wie bei den Yoruba und Igala die (vergangene und zukünftige) Gemeinschaft und feiern familiäre, religiöse und soziale Bindungen in kontrastierenden ästhetischen Formen, die sowohl Einheit als auch Unterschied ausdrücken. Weißgesichtige Igbo-Masken (Agboho Mmwo und andere) verkörpern weißhaarige Älteste, zeigen aber auch die idealisierten Züge junger Frauen mit komplizierten Frisuren, reichem Körperschmuck und aufwendigen Kostümen. Diese »Schönheits«-Masken sind meist in bunte und gemusterte Gewänder gekleidet. Im Gegensatz dazu tragen die dunkelgesichtigen Maskierten, die ungebärdige junge Männer verkörpern, Masken, die gefährliche Tiere, Krankheitsmerkmale oder Skelettformen zeigen, sowie lange Kostüme aus Raphia. Die Kostüme signalisieren den Kontrast zwischen kulturellen Werten und machtbedingten Bedürfnissen – und wie sich beide die Waage halten. Die weiblichen Rollen zeigen zarte, sorgfältig choreografierte Schritte, während die männlichen Maskeraden individuell und aggressiv sind. Beide ehren die Ahnen, die ins Dorf kommen, um die Yams-Ernte und andere Ereignisse zu feiern.

Im nahegelegenen Cross-River-Gebiet, Heimat von Ejagham, Boki und anderen Kulturen, sehen wir geschnitzte, lederbedeckte Kopfputze, die bestimmten Gruppen vorbehalten sind, etwa Jägern oder hochgestellten Personen. Manchmal besitzen diese Kopfschmucke zwei Gesichter, gelegentlich mit unterschiedlichen Farben (hell, dunkel), die gegensätzliche Werte ausdrücken, wie etwa Igbo-Masken. Die Gesichter selbst sind mit erhabenen Keloid-Scheiben und Markierungen verziert, die an die symbolische Nsibidi-Schrift erinnern sowie an die *Akwanshi*-Steinsäulen, die bis

Ejagham-Holzschnitzer
Ejagham am Cross River
Janus-förmiger Kopfputz
Nigeria,
19.–20. Jahrhundert
Holz, Antilopenhaut,
Hörner und Pigment,
52,1 x 47,3 x 33,7 cm
Metropolitan Museum of Art, New York

Kopfputze mit zwei Gesichtern besaßen besondere Macht, da sie in zwei Richtungen sehen konnten oder stärkere Einsichten erlangten (Wissen aus zwei Welten – irdisch und spirituell). Der Hautüberzug stammt vor allem von Antilopenfellen, die eingeweicht und dann über den Holzkern gezogen wurden. Üblich sind außerdem Hörner und Flechtfrisuren.

ins 20. Jahrhundert verwendet wurden. Maskenträger traten bei Begräbnissen hochgestellter Personen auf.

Igbo-Holzschnitzer und Darsteller
Igbo-Okorosie-Maskeraden
»Die Schöne und das Biest«-Masken namens Nwanyioma und Akatakpuru
Isuama-Gruppe, Nigeria, 1931
Fotografie von Gwilym Iwan Jones (1904–1995)
Museum of Archaeology and Anthropology, University of Cambridge

Solche Masken verkörpern die ideale Moral und die Werte der Führerschaft, die den weißhaarigen Ältesten und den Ahnen zugeschrieben werden. Die Masken sind schwarz oder braun, die unharmonischen Gesichtszüge bedeuten jugendliche Macht, Natur und Nacht.

WESTLICHER SUDAN UND DAS GEBIET DES INNEREN NIGER VON MALI (BAMANA, SENUFO, DOGON)

Die westafrikanische Savannenregion des heutigen Senegal, Mali, Burkina Faso und der nördlichen Elfenbeinküste ist die Heimat bemerkenswerter Kulturen und Kunsttraditionen. Auch der Islam hinterließ seine Spuren, besonders in der Architektur, während viele Kunstformen weiterhin blühen. Dies ist eine Gegend, bewässert vom mächtigen Niger und seinen Nebenflüssen, in der unabhängig der Ackerbau erfunden wurde. Keramik und Eisenbearbeitung waren und sind wichtig und werden üblicherweise von Familienverbünden betrieben – wobei die Frauen Töpferinnen sind und die Männer als Schmiede und Schnitzer arbeiten.

Eine Kunstform, die besonders von der einzigartigen Landschaft und Geschichte der Region geprägt ist, sind geschnitzte Kopfputze, genannt Ciwara (halb Mensch, halb Tier), die paarweise von den Bamana in Mali hergestellt werden (umseitig). Weibliche Ciwara-Kopfputze besitzen gerade (potenziell tödliche) Hörner, die denen der weiblichen Pferdeantilopen ähneln. Die Hörner der männlichen

Bamana-Schmied und -Holzschnitzer
Bamana-Ciwara-Maskenpaar
Mali, 19.–20. Jahrhundert
Holz, links: 98,4 x 40,9 x 10,8 cm; rechts: 79,4 x 31,8 x 7,6 cm
Art Institute of Chicago

Diese Maskenpaare verkörpern große männliche und weibliche Pferdeantilopen, deren Gebiete von den Vorfahren der Bamana besetzt wurden, als sie ihre Felder urbar machten. Die zwei Darsteller tauchen als Paar während der Kultivierungs- und Pflanzwettbewerbe auf, mit denen die autochthonen Landbewohner und Geister geehrt werden, sowie bei Hochzeiten und familiären Feierlichkeiten.

Ciwara-Kopfputze sind wie bei den männlichen Pferdeantilopen nach hinten gebogen. Die weiblichen Varianten haben hinten oft ein Antilopenjunges und erinnern damit daran, wie Bamana und andere afrikanische Frauen ihre Babys tragen.

-

Das Zickzackmuster des männlichen Kopfputzes symbolisiert Wasser und die Sonne – beides wichtig für den Ackerbau.

-

Ciwara-Darsteller, gekleidet in dunkle, schlammbeschmierte Faserkostüme, halten zwei kurze Stöcke in den Händen, mit denen sie Antilopen, aber auch gebückte Bauern nachahmen, die den harten Boden mit kurzen eisernen Hacken bearbeiten. Die Form dieser Hacken findet sich auch in den Ciwara-Kopfformen wieder. Die Vorführungen drücken den Glauben aus, das Ciwara den Ahnen der

Bamana-Künstler und -Ritualspezialisten
Boli-Skulptur
Mali, 19.–20. Jahrhundert
Holz, Stoff und organisches Material, Höhe 66 cm
Los Angeles County Museum of Art

Bei den Boliw wird eine stoffumhüllte hölzerne Grundstruktur mit immer neuen Schichten an Material bedeckt: Pflanzen, Tierblut, zerdrückte Kola-Nüsse, gekochtes Getreide, Alkohol, besonderer Schlamm und Ton lassen die Figur wachsen. *Boliw* wirken wie eine Enzyklopädie der Welt, suggerieren aber auch eine von innen nach außen gekehrte Welt – Stoff innen und Materialien, die mit dem Körperinneren verbunden sind, außen.

Bamana den Ackerbau gebracht hat. Allerdings grub sich der Geist wegen ihrer Sorglosigkeit und Verschwendung verärgert in einem Feld ein. Ciwara-Maskeraden ehren Ciwaras Arbeit sowie sein Opfer und das aller Bamana-Bauern. Mit ihrer Haltung erinnern die Darsteller außerdem an Unterdrückung und Leid während der Mali-Herrschaft.

Verbunden mit dem Ciwara-Kult ist die *Boli*-Tradition (Pl. *Boliw*) (unten). *Boliw* sind Objekte der Macht, die den Geist und die Vitalität der religiösen Kräfte einer Gemeinschaft einschließen. So wurde etwa nach dem Tod des mythischen Ciwara ein *Boli* als Ort für seinen Geist erschaffen. Ein kleiner *Boli* ist auch an den »Stock-Beinen« der Ciwara-Darsteller befestigt. Die von mächtigen Männerbünden wie den Komo gefertigten und bewahrten *Boliw* sollen die spirituelle Energie (*Nyama*) für schützende und heilende Zwecke nutzbar machen und Verbrecher, Zauberer und andere böse Mächte jagen. Ihre oftmals mysteriösen Formen können abstrakt sein, aber auch Menschen oder Tiere (Flusspferde, wilde Büffel) darstellen.

Bamana-*Komo*-Masken und ihre Senufo-Gegenstücke (umseitig) werden bei der Initiation von Männern in die mächtigen Komo-Bünde verwendet. Die bedrohlich aussehenden Masken haben riesige, weit geöffnete Kiefer und sind mit Tierhörnern, den Hauern von Warzenschweinen, Stachelschweinstacheln, Federn und

Senufo-Holzschnitzer
Senufo Kòmòkun (Komo)
Männerbund-Helm
Elfenbeinküste,
19.–20. Jahrhundert
Holz, Hörner, Hauer,
Strick, Topf und
organisches Material,
43,2 x 40,6 x 68,6 cm
Dallas Museum of Art

Die wegen der brennenden Kohlen, die man oben einfüllte, oft »Feuerspucker« genannten Masken halfen ihren Trägern, drohenden Schaden für die Gemeinschaft zu finden und abzuwenden.

Extrakten von Heilpflanzen besetzt. Sie sollen die Zuschauer mit dem esoterischen Wissen und der Macht der Komo beeindrucken und behielten selbst nach der Islamisierung ihre Macht – halfen sogar bei der Ausweitung des Islams. Unter den Senufo nutzt der Lo- (oder Poro-) Männerbund vergleichbare Kopfputze (*Kponyugu* genannt). Bei Lo/Poro-Initiationen lernen die jungen Männer nicht nur etwas über Spiritualität und soziale Normen, sondern auch über die Bedeutung von Führung und Gemeinschaft, sodass sie zu verantwortungsbewussten Mitgliedern der Gesellschaft werden.

Aufwendig geschnitzte Senufo-Türen (gegenüber) verschließen heilige Poro/Lo-Schreine, in denen man diese Kunstwerke verwahrte. Reiche und einflussreiche Männer leisteten sich solche Türen als Prestigeobjekte. Diese Tür zeigt mythologische und kulturelle Themen, wie Tierszenen aus lokalen Ursprungsmythen (Krokodile, Schlangen, Antilopen, Schildkröten). Im oberen Feld sind Senufo-*Kpelie*-Gesichtsmasken und Nashornvogel-Kopfputze. Sie wurden bei Beerdigungen sowie zur Ehrung der Ältesten verwendet, die negative Einflüsse auf Familien und Gemeinschaften abzuwehren vermochten. Andere Türen zeigen oft bewaffnete Männer auf Pferden, was auf die Jagd und die Frage hindeutet, wie Mensch und Tier verbunden sind.

Die Dogon leben am abgelegenen Bandiagara-Felsmassiv in Mali und haben ähnliche Kunst- und Kulturtraditionen wie die benach-

Yalokone-Senufo-Werkstatt aus Boundiali
Senufo-Tür
Elfenbeinküste, 1920er
Holz
Privatsammlung

In der Mitte der Tür befindet sich ein Nabel, von dem aus X-förmig Linien ausgehen. Dieses den Narbenmustern auf dem Bauch der Frauen ähnelnde Muster symbolisiert die gesellschaftliche und natürliche Ordnung.

Dogon-Darsteller
Dogon-Maskerade mit *Sirige*-, Kanaga- und Antilopenmasken

Diese Masken werden von jungen Männern hergestellt, die in den Awa, einen altersabgestuften Bund, aufgenommen worden sind, und werden bei Awa-Versammlungen und Beerdigungen von Ältesten vorgeführt. Bei den Begräbnissen beauftragen die Familien jeweils die Darsteller, die sie sich leisten können, und es werden Maskentypen gezeigt, die wichtig im Leben der Person waren. Diese und andere Masken wurden bei der Sigi-Zeremonie gezeigt, die einmal in 60 Jahren stattfindet und eine ganze Generation ehrt.

barten Bamana und Senufo – einschließlich der Gur/Mande-Sprachverbindungen – die Gegend war Zufluchtsort für die Dogon nach Jahrhunderten der Kriege und Versklavung. In gewisser Hinsicht war das Dogon-Gesellschaftsmodell ein utopischer Gegenentwurf zu diesem zerstörerischen Erbe. Dogon-Masken werden bei Beerdigungen und anderen Anlässen in den Dörfern und auf den flachen Lehmdächern des Hauses des Verstorbenen benutzt, bei denen verschiedene Maskentypen zusammen auftreten. Die Gruppe im Bild gegenüber wird von der hohen, brettartigen *Sirige*- (»Etagen-«) Maske angeführt, die das Haus des Klangründers (»großes Haus«) kennzeichnet, dessen Fassade eine Art Gitter trägt, das es von anderen Häusern unterscheidet. Während der Vorführungen schwingt der *Sirige*-Tänzer diese hohe Maske geschickt herum, damit sie den Boden vor und hinter ihm berührt – dies soll die Einheit von Himmel und Erde, von heutigen und früheren Bewohnern widerspiegeln. Dahinter sind mehrere Kanaga-Masken, zu erkennen an den Streben. Deren Träger vollführen breit wirbelnde Bewegungen, die die geordnete Bewegung des Universums und den Lauf der Zeit andeuten. Die Masken selbst werden verschieden ausgelegt: als Krokodil (das die Dogon-Einwanderung anführte), als fliegender Vogel und als kosmisches Symbol. Hinter diesen Masken kommen verschiedene Tiere – in diesem Fall Antilope, oft auch Hasen, Nashornvögel und andere. Sie ehren das Wild, das der verstorbene Jäger erlegt hat. Manche Dogon-Masken stellen Fremde dar, wie die Hirten der Fulani (Fulbe), die ihre Herden durch das Dogon-Gebiet trieben. Die Fulani-Frauen verkauften Milch an die Dogon. Manchmal war ihre Beziehung zu den ansässigen Bauern angespannt, wenn das grasende Vieh die Felder verwüstete.

Eine der bekanntesten Dogon-Skulpturen zeigt Mann und Frau auf einem Hocker (umseitig). Das Paar besitzt sowohl ergänzende als auch konkurrierende Elemente – sie sind idealisiert oder archetypisch. Die Frau trägt ein Baby auf dem Rücken, der Mann einen Köcher; die Geschlechter haben unterschiedliche Rollen, einer gibt Leben, der andere nimmt es. Beide sind zum Erhalt und Schutz der Gemeinschaft nötig. Der Mann legt seinen rechten Arm um die Schulter der Frau, eine schützende und unterstützende Geste. Seine rechte Hand berührt ihre Brust und verweist auf ihre Rolle als Nährerin; seine linke Hand weist auf seinen Penis als Symbol für männliche Zeugungskraft. Er trägt einen Bart (Statussymbol eines Mannes und Ältesten), sie einen Lippenpflock als Schmuck. Seine ausgeprägten Brustmuskeln bilden eine Entsprechung ihrer Brüste. Beide haben gut erkennbare Nabel und ähnliche Frisuren. Diese Schnitzerei gleicht genau wie frühere Tellem-Figuren eine stilistische Formensprache durch das dynamische Spiel von negativen und positiven Räumen sowie durch frontale Details aus. Verweise auf den Kreislauf des Lebens werden durch den Hocker unterstrichen. Vier nach außen blickende Ahnenfiguren (*Nommo*) sind in der Mitte durch eine Säule verbunden, die die Flächen des Hockers zugleich eint und trennt und damit ein Weltbild erzeugt, das Ordnung symbolisiert.

Architektonische Traditionen sind von einmaliger visueller Bedeutung, darunter die Tradition des offenen Lagerhauses (*Toguna*) mit der trocknenden Hirse (Sorghum) der Gemeinschaft, in dem sich die Dorfältesten für ihre Beratungen treffen (gegenüber). Diese oft über dem Dorf gelegenen Strukturen bieten guten Ausblick auf die Vorübergehenden. Sie künden von den geo-räumlichen, mehrere Generationen übergreifenden und religiösen Werten, die diese Region

Dogon-Holzschnitzer
Dogon-Paar auf einem Stuhl
Mali, 19.–20. Jahrhundert
Holz, 73 x 21,9 x 20,3 cm
Metropolitan Museum of Art, New York

Die Zahlen Zwei, Vier, Acht und Vierundsechzig sind als numerischer Ausdruck der Ordnung wichtig für die Dogon. Die Figuren verbinden diese Welt und die Ahnen und unterstützen die Vermittlerrollen, die Ahnen für ihre lebenden Familienmitglieder spielen. Traditionell wurden solche Skulpturen in den Kornspeichern auf dem Anwesen der Familie aufbewahrt und für Ernte- und andere Zeremonien hervorgeholt.

Dogon-Baumeister
Toguna (Männerhaus) mit benachbarten Häusern
Felsen von Bandiagara, Mali

Flachreliefs oder Wandbilder stellen Masken dar, die die Lebenskraft binden sollen (*Nyama*). In den Felsen über dem *Toguna* befinden sich höhlenartige, über Stricke erreichbare Nischen für Begräbnisse, Lagerung oder als Zuflucht in schwierigen Zeiten.

und ihre Kunst beeinflussen. Auch wenn die Anführer (Hogon) der Dogon oft zu Pferd dargestellt wurden, lag ein Großteil der Kontrolle in den Händen der Ältesten, die sich täglich im *Toguna* trafen. Die Lagerung der Nahrung war wichtig für das Überleben in dieser abgelegenen Berggegend und auf den Altären findet man oft Spuren von Hirsemehl und Bier. Die hölzernen Stützpfeiler der *Toguna*-Strukturen zeigten früher oft Menschen mit zum Gebet erhobenen Armen – genau wie die Tellem-Figuren, die Zeit und Raum vereinen.

WICHTIGE IDEEN

- Regionale Gegebenheiten sind wichtig zum Verstehen der Kunst.
- Benachbarte große Flusssysteme sorgten für die Ausbreitung von Ideen und Kunstformen.
- Gilden und kastenartige Gruppen halfen bei der Ausbildung der Künstler und der Wahrung von Standards.
- Künstler befassten sich mit wichtigen Faktoren (sowohl individuell als auch gesellschaftlich) rund um den Kreislauf des Lebens (Geburt, Initiation, Heirat, Gesundheit, Tod).

WICHTIGE FRAGE

- Inwiefern lassen sich neuere afrikanische Kunsttraditionen auf frühere Traditionen in diesen und anderen Gegenden zurückführen?

DIE KOLONIALZEIT (1850–1959)

-

Wenn du Fragen stellst,
kannst du Antworten nicht vermeiden.

-

Kamerunisches Sprichwort

Mitte bis Ende des 19. Jahrhunderts mehrten sich die Zeichen für ein europäisches militärisches Eingreifen in Afrika und den Beginn einer neuen Kolonialzeit. Sie führten zwischen 1890 und 1910 zu Veränderungen auf dem ganzen Kontinent. Eine Ausnahme bildete der äthiopische Kaiser Menelik II., dessen Sieg über die italienischen Truppen bei Adua 1896 seinen Staat vor der Kolonialisierung bewahrte. Der »Wettlauf um Afrika« nahm nach der einflussreichen Kongokonferenz 1884–1885 in Berlin Fahrt auf, bei der die europäischen Mächte darüber entschieden, wie Afrika in einzelne Kolonialstaaten aufgeteilt werden sollte. Die dort beschlossene Aufteilung hatte beträchtliche Auswirkungen auf die afrikanischen Völker (die nicht gefragt wurden) und ihre Kolonisatoren. Der britisch-nigerianische Künstler Yinka Shonibare stellte diese Szene in einer Skulptur dar: Unterschiedlich gekleidete Europäer sitzen an einem großen Tisch und diskutieren über die vor ihnen liegende Karte des Kontinents, auf der die verschiedenen Teile farblich hervorgehoben sind. Sie sorgen sich nur um ihre eigenen Vorteile, der Schaden, den die afrikanischen Völker nehmen, ist ihnen egal.

Auf jahrhundertelange Bekehrungsbemühungen, Sklaven- und anderen Handel folgten neue Missionierungsversuche. Gewalt und Grauen durch den europäisch angeführten atlantischen Sklavenhandel hatten einen Krisenpunkt erreicht. Selbst nach dem offiziellen Ende der britischen Beteiligung im Jahre 1807 wurden versklavte Afrikaner noch bis in die 1860er-Jahre nach Amerika verschifft. Es kam zu neuen Handelsabkommen zwischen den Kolonialmächten sowie einem Ende der Kriege rund um den Sklavenhandel, die zuvor von den Europäern entfacht und finanziert worden waren. Nach der Brüsseler Anti-Sklaverei-Konferenz von 1890 (auch wenn bestimmte Praktiken im Kontext von Vertragsarbeit bis in die 1930er- und 40er-Jahre bestehen blieben) entstanden neue Probleme, Ökonomien und ausbeuterische, von Gewalt begleitete Beziehungen.

Afrikanische Künstler und Kunstförderer behandeln die unruhige Kolonialzeit ganz verschieden. Einige lokale Kunstmäzene bestellten Werke, die in den Kolonialkriegen selbst eingesetzt wurden. Eine beeindruckende eiserne Kriegerstatue aus Dahomey (Fon, Republik Benin) (gegenüber) reiste während der Kämpfe von 1892–1893 auf das Schlachtfeld gegen die französischen Kolonialtruppen in der Küstenstadt Ouidah. Als Kriegsbeute nach Frankreich gebracht, schenkte Hauptmann Fonssagrives sie 1894 dem Musée d'Ethnographie du Trocadéro in Paris. Die Geschichte dieses Werkes ist eng verknüpft mit Dahomeys Militäraktivitäten. Der Künstler, der talentierte Schmied Akpele Kendo (Ekplekendo) Akati, war selbst Kriegsgefangener. Man hatte ihn in einer Mahi-Gemeinde nördlich

Ekpele Kendo Akati
Figur des Kriegsgottes Gu
Dahomey, Republik
Benin, 19. Jahrhundert
Eisen, 178,5 x 53 x 60 cm
Pavillon des Sessions,
Musée du Louvre, Paris

Der talentierte Bildhauer, ein Anhänger des Gu (wie alle einheimischen Schmiede und Künstler), entwarf dieses Werk und fertigte es aus heimischen und europäischen Eisenteilen. Diese Konstruktion spiegelt den Kontakt zwischen Afrika und Europa in dieser und vergangenen Zeiten wider. Picasso ließ sich von diesem Werk zum Kubismus inspirieren, als es im Trocadéro ausgestellt wurde.

Sossa Dede
Dahomey-*Bocio* zu Ehren von König Glele (1858–1889)
Dahomey, Republik Benin, 19. Jahrhundert
Holz, 179 x 77 x 110 cm
Früher Musée du quai Branly – Jacques Chirac, Paris. Zurückübertragen an die Republik Benin.

Die ungewöhnliche Kontrapost-Haltung dieses Werkes und die heldenhaft erhobenen Arme sind nach lebensgroßen französischen Heiligenfiguren modelliert, die Gleles Vater, König Gezo, in Auftrag gegeben hatte, weil er sich die religiöse Macht Europas zunutze machen wollte. Ungeachtet dieser ungewöhnlichen Quelle für die Darstellung ist dies eine genuin afrikanische Skulptur, eine brillante Neuinterpretation, vergleichbar mit Picassos Auseinandersetzung mit der afrikanischen Kunst.

der Fon-Hauptstadt Abomey gefangen genommen und dann zur Arbeit in eine Schmiede geschickt. Sein Geschick bewahrte ihn vor dem Verkauf nach Amerika. Diese *Agojie* – den Namen trugen auch die berühmten Kriegerinnen des Königreichs – genannte Skulptur, gestärkt durch den Kriegs- und Künstlergott Gu, nahm an Kämpfen teil und schrie bei Gefahr angeblich: »Pass auf!« Ihre verkrümmten Hände, die einst ein großes *Gubasa*-Schwert hielten, sind in Kampfstellung. Miniaturwaffen, Werkzeuge und anderen eisernen Ritualformen auf der Krone sind Zeichen des Gu. Ähnliche Eisengeräte findet man in Schreinen des Gottes.

In Auftrag gegeben wurde dieses faszinierende Werk von einem der kriegerischsten Könige Dahomeys, Glele (1858–1889), zu Ehren seines Vaters, König Gezo (1818–1859), unter dessen Herrschaft der Künstler gefangen genommen worden war. König Gleles Ehrenname (Basagla ji Guhonlon madon, »das große *Gubasa*-Schwert gebar Gu und er wird die Rache vollziehen«), dargestellt in seinem Ifa-Wahrsagezeichen, wird durch das Schwert verkörpert, das diese einst in Händen hielt. Dies zeigt, dass König Glele als mächtiger Mensch geboren wurde und nun die Kämpfe seines Vaters fortsetzt.

Ein ganz anderes Beispiel aus der Kolonialzeit ist der hölzerne, lebensgroße Löwenmann (gegenüber) des Künstlers Sossa Dede (dessen Familie vermutlich während der Regentschaft von Agonglo kriegsgefangen war). Er dient dem Andenken an König Glele. Sein Totemtier war ein Löwe, was zum Teil auf einem anderen seiner Lobnamen und Wahrsagezeichen beruht: Kini Kini Kini (»Löwe der Löwen«). Königliche Machtskulpturen (*Bo; Bocio*) priesen militärische Siege für Könige wie Glele und ihre Verbündeten. Der Löwenmann und ähnliche Schnitzereien wurden während der jährlichen Feste zu Ehren früherer Herrscher auf Wagen in die Hauptstadt gefahren. Außerdem nahm man sie mit in den Krieg.

Löwenmotive wurden in Westafrika Ende des 19. Jahrhunderts populär. Vorbild war die europäische Heraldik. Ansonsten wird der Löwe in der afrikanischen Kunst selten dargestellt; es dominieren Leoparden. Diese Skulptur aus Dahomey, erbeutet 1892–1893, wurde 2021 zusammen mit anderen Kunstwerken von Frankreich wieder zurückgegeben. 1897, einige Jahre nach dem französischen Kolonialkrieg in Dahomey, besetzten die Briten das Königreich Edo/Benin und verschleppten viele der berühmten Benin-Bronzen und Elfenbeinarbeiten. Sie sind, genau wie eine Reihe königlicher Werke aus Dahomey zurzeit Teil von Rückführungsbemühungen.

Manche Werke aus dem Kongo, besetzt mit Nägeln und anderen Eisenteilen, sprühen vor Energie (umseitig). Diese Nkisi-Nkonde genannte Skulptur hat eine Schutzfunktion, man bezeugte damit Eide und setzte sie gegen Hexen und andere Missetäter ein. Ihre Herstellung war aufwendig: Ein Ritualspezialist (*Nganga*) packte *Bilongo*-Medizinen (aus Tier- oder Pflanzenasche sowie Mineralien) in den Bauch der Figur, um ihre Macht zu verstärken. Die spiegelnde Bauchoberfläche und die Augen ziehen den Betrachter an, stellen aber auch zugleich eine Verbindung zur wässrigen Welt der Ahnen dar. Die Nägel im »Fleisch« der Figur sind möglicherweise ein Hinweis auf christliche Missionierungsversuche und die Rolle von Kruzifixen und ähnlichen religiösen Objekten.

In der Kolonialzeit galten diese Arbeiten im Westen als Symbole für die angebliche Irrationalität der örtlichen Vorstellungen und Gebräuche.

Kongo-Elfenbeinschnitzer
Kongo-Behältnis und Überzug
Republik Kongo, 1880–1890
Elfenbein, 17,1 x 5,1 x 5,7 cm
Metropolitan Museum of Art, New York

Das Augenmerk auf Gesichtsausdruck, Frisur und Gegenständen (Schlüssel, Gewehr, Vögel) zeigt, welche Beobachtungsgabe die Künstler hatten. Kongo-Künstler zogen ganz klare visuelle Unterschiede zwischen Szenen des täglichen Lebens (die Menschen werden oft mit Schuhen dargestellt) und religiösen Abbildungen. Anhänger Christi werden barfuß gezeigt.

In der Kolonialzeit wandten sich afrikanische Künstler aber auch neuen Werken zu. Im Kongo schufen sie lebendige Bilder der europäischen Besucher mit ihrer fremdartigen Kleidung und ihrem ungewohnten Aussehen (gegenüber). Auch Kreuzigungsszenen, die man seit Jahrhunderten von europäischen Missionaren kannte, dienten als Motiv. Die Künstler bewiesen großes Geschick beim Schnitzen von Elfenbein, einem Material, das nun vom Ausland für Klaviertasten und Kämme begehrt wurde. Gut finanzierte »wissenschaftliche« Sammelexpeditionen westlicher Institutionen brachen über Kunst und Fauna herein und beraubten ganze Landstriche ihres reichen künstlerischen und natürlichen Erbes. Im Königreich Mangbetu wurden komplette Kunstsammlungen sowie königliche Frisuren, Nägel und Musikinstrumente auf Schiffe verladen, um sie später im Westen zu katalogisieren, zu studieren und auszustellen. Profil und Frisur einer Mangbetu-Figur wurden zu einem geschätzten Emblem der französischen Kolonialzeit.

Es entstanden in dieser Zeit aber auch Kunstwerke zu Ehren der Helden der Vergangenheit wie Tchibinda Ilunga, Bruder eines Luba-Königs, der eine mächtige Lunda-Frau aus dem Süden geheiratet und das Chokwe-Königreich begründet hatte. Tchibinda Ilunga und sein

Kongo-Künstler
Nkisi-Nkonde-Figur
Demokratische Republik Kongo,
19.–20. Jahrhundert
Holz, Eisen, Stoff und organische Materialien
45,7 x 20,3 x 8,9 cm
Yale University Art Gallery, New Haven

Die Macht dieses Werkes wird durch Eisennägel und kleine Fetzen aus Stoff oder Leder noch verstärkt, die jeweils ein spezielles Ereignis kennzeichnen (einen Rechtsspruch, Vertrag, Schwur, ein abgegebenes Versprechen oder eine geheilte Krankheit). Sie unterstreichen Übereinkünfte der Gemeinschaft (Gesetze – zum Abwehren künftiger Probleme), während sie potenziell jene bestrafen, die Nkisi-Nkonde-Vereinbarungen brechen.

Chokwe-Holzschnitzer
Chokwe-Figur des Kulturheros Tchibinda Ilunga
Angola, Mitte des 19. Jahrhunderts
Holz,
40,6 x 15,2 x 15,2 cm
Kimbell Art Museum, Fort Worth

Der Gründer des Luba-Reiches war ein großer Jäger. Er hält ein geschnitztes Antilopenhorn in seiner linken und einen Stab in seiner rechten Hand. Seine körperliche Stärke, die starren Augen, der zusammengekniffene Mund und die gebeugten Knie strahlen Macht aus sowie die Bereitschaft zum Handeln. Der königliche Status wird durch die breiten, gerollten Seiten seiner Frisur gekennzeichnet.

Erbe sind in faszinierenden Schnitzereien verewigt (oben). In der Kolonialzeit gingen die Chokwe im heutigen Angola/nordwestlichen Sambia im expandierenden Lunda-Reich auf. Dies verdoppelte von Ende des 17. bis zum 19. Jahrhundert seine Größe dank des Zugangs zu Feuerwaffen und des Handels mit Elfenbein, Wachs, Gummi und Menschen auf 300.000 Quadratkilometer. Die Chokwe-Anführer behielten ihre rituelle Macht und dienten den Lunda manchmal als Kämpfer und Jäger, auch wenn ihre Unabhängigkeit und Autorität als Anführer zurückgegangen war.

Der Thron eines Chokwe-Anführers (*Ngundja*) (gegenüber) zeigt, wie europäische Kunstformen, zum Beispiel Stühle, von afrikanischen Künstlern und Mäzenen aufgegriffen und in Statusobjekte verwandelt wurden. Oben auf der Lehne sitzen zwei große langschnäblige Vögel

(*Ngungu*), die Macht und Glück verkörpern und der Vermittlung zwischen irdischer und spiritueller Welt dienen sowie an Ursprungsmythen erinnern, in denen so ein Vogel bei der Wahl des Ortes für die erste Königshauptstadt der Chokwe half. Darunter sind *Cikunza*-Maskenträger abgebildet. Ganz unten sieht man Beschneidungs- und Geburtsszenen. Auf den Streben unter dem Sitz finden sich Verweise auf das Alltagsleben – Männer hüten Kühe, Frauen kochen und kümmern sich um die Kinder – alles deutet auf eine gut organisierte Gesellschaft hin.

Ein besonders einflussreicher Anführer in der Kolonialzeit war König Ibrahim Mbouombouo Njoya (1860 bis ca. 1933), ein bemerkenswerter Kunstförderer aus Foumban, der Hauptstadt des Königreichs Bamun im heutigen Kamerun. Njoya sah sich zwei Eindringlingen gegenüber. Der eine war das expandierende Hausa-Reich im Nordwesten des heutigen Nigeria. Der andere waren Kolonisatoren. Unter dem Einfluss deutscher Kolonisatoren und Missionare

Chokwe-Holzschnitzer
Chokwe-Häuptlingsstuhl
Ngudja, Angola,
19.–20. Jahrhundert
Holz,
99,1 x 43,2 x 61,6 cm
Metropolitan Museum
of Art, New York

Solche Häuptlingsstühle beweisen, wie einheimische und koloniale Symbole zusammenspielen. Während die Form selbst und die dekorativen Sprossen europäisch wirken, zeigt die Rückenlehne des Stuhls Bilder aus dem Häuptlingsleben neben religiösen Szenen.

trat Njoya zum Christentum über, konvertierte aber 1916 zum Islam, als Bamun sich teilweise dem Sokoto-Kalifat (nördliches Nigeria) unterwarf, eines der wichtigsten vorkolonialen Militär- und Sklavenstaaten. Njoya hatte mit Sokoto ein Interesse an der Textilproduktion gemein und schützte seinen Staat auf diese Art vor der Hausa-Expansion. Der vielseitig interessierte Njoya half, Kunst, Kultur und Geschichte der Bamun zu dokumentieren und zu bewahren: mit der neu eingeführten Schrift (mit 73 Zeichen) sowie Tuschezeichnungen, die von seiner Beobachtungsgabe zeugen (oben). Wir sehen König Njoya hier auf dem Thron vor seinem neuen Palast (entworfen von seinem Neffen Ibrahim Njoya). In der Szene darunter wird die neue Schrift auf ein großes Tuch aufgebracht und den Ältesten präsentiert. Neben dem König werden vier wichtige Aktivitäten der Bamun dargestellt: Jagd, Gerichtsbarkeit, Ackerbau und Musik. Der Rand ist dekorativ ausgeschmückt. Der riesige Thron des Königs ist unter anderem mit einer Doppelschlange, Symbol für mehrere Grasland-Königreiche, und Erdspinnen geschmückt, die lokale Wahrsagepraktiken verkörpern. Wie andere Bamun-Könige auch hielt Njoya jeden Morgen Audienzen für seine Untertanen ab.

Ibrahim Njoya
Portraits des 18 rois bamum
(Illustrierte Königsliste mit 18 Herrschern, Detail)
Bamun, Kamerun,
1938–1940
Tinte und Buntstift,
77 x 83 cm
Musée Royal de Foumban, Palais de Foumban

Um König Njoya herum positioniert sind seine königlichen Vorgänger. Man liest das Bild von unten links nach oben rechts, dann quer und schließlich auf der rechten Seite wieder nach unten. So werden auch die geschnitzten Rahmen der Palasttüren gelesen.

Njoya arbeitete mit den deutschen Kolonisatoren zusammen, die Bamun eine relative Unabhängigkeit gewährten. Seine Freundschaft mit den Deutschen wurde besiegelt, als sie ihm zu Beginn seiner Herrschaft halfen, den Schädel seines Vaters Nsangu zu beschaffen, der 1886–1887 in einer Schlacht gegen die Nso gefallen war. Die Sitten der Bamun verlangten, dass ein neuer König bei der Inthronisation auf das Haupt seines Vorgängers schwor. Im Jahre 1908 schenkte Njoya Kaiser Wilhelm II. zum Geburtstag eine Kopie seines Throns (noch heute in Berlin ausgestellt). Wilhelm II. wiederum schickte ihm ein Porträt seiner Person sowie eine Kürassieruniform der Kaiserlichen Garde – immer noch zu sehen im Bamun-Palastmuseum. Njoya ließ anhand dieses Vorbilds neue Hofuniformen schneidern. Als Kamerun 1916 unter französische Herrschaft kam, gab er einen neuen Palast in Auftrag, der sich an deutschen und Hausa-Prototypen orientierte und nicht wie frühere Paläste aus Holz und Schilf, sondern aus Ziegeln gebaut wurde, die man vor Ort herstellte und brannte.

Anderswo setzten afrikanische Gemeinschaften sich mit stärkeren kolonialen Einflüssen auseinander und nutzten dazu Kunst und religiöse Idiome. Ein besonders wichtiges Beispiel ist die *Mbari*-Skulptur – irdene Strukturen, geschaffen von den Igbo im Südosten Nigerias. Diese Formen waren besonders in der ersten Hälfte des

Igbo-Gemeinschaft
Mbari-Haus
Detail mit der Erdgöttin Ala und dem Donnergott Amadioha
Nigeria, 1950er

Das Gebilde ist als Geschenk, Opfer und Gabe für die Erdgöttin Ala und andere Götter geschaffen worden. Wichtig ist der Donnergott Amadioha, der seine Himmelskräfte mit den Kräften der Erde vereint. Das Werk feiert außerdem Alas nährende Fähigkeiten (als Mutter der Menschen) und Amadiohas befruchtenden Regen.

20. Jahrhunderts beliebt. Die Fertigung dieser Strukturen, von denen einige fast 100 Skulpturen umfassten, dauerte bis zu zwei Jahren und erforderte Rituale der gesamten Gemeinschaft. Als Material dient Erde aus Termitenhügeln, die nach dem Stampfen wie Lehm wird. Die *Mbari*-Strukturen selbst zeigen unterschiedliche Figuren – Tiere, Ahnen, mythische Kreaturen und Menschen (Hebammen, Lehrer, Handwerker und Fremde). Dieses Werk (umseitig) bildet auch die neuen kolonialen Realitäten ab. Die Erdgöttin Ala trägt eine aufwendige Frisur, Fußkettchen und Körperbemalung, wie sie die Igbo-Frauen als Vorbereitung der Hochzeit auftrugen. Der Donnergott Amadioha trägt den Speer eines Adligen sowie Kolonialkleidung – Tropenhelm, weißes Hemd mit Tasche, Halstuch, Shorts, lange Socken und Schuhe. Während seine Frau Ala die Werte der Vergangenheit repräsentiert, mahnt er ausgleichende Kräfte und künftige Realitäten an. Das Wort *Mbari* selbst bedeutet Museum. Sobald das *Mbari*-Haus fertig ist, darf dieses einzigartige Ritual- und Performance-Kunstwerk wieder mit der Erde verschmelzen und sie erneut befruchten.

Der Yoruba-Künstler Olowe of Ise (1869–1938) arbeitete im kolonialen Nigeria, als die britischen Behörden Mittel für die lokalen Anführer bereitstellten, um die Region nach den Verheerungen der Sklavenzeit zu stabilisieren. Seine Aufträge hatten oft mit Königtum und Religion zu tun. Viele Yoruba-Könige errichteten in dieser Zeit neue Paläste. Dabei halfen Künstler wie Olowe, dessen Skulpturen den Palast in Ikere im Staat Ekiti schmücken. Eine dieser Skulpturen (gegenüber) zeigt einen Herrscher auf einem europäisch inspirierten, stuhlartigen Thron. Er trägt eine konische, mit Perlen besetzte Krone mit einem Vogel auf der Spitze. Vor ihm kniet eine Frau (seine Königin?). Eine andere kniende Figur ist der Götterbote Eshu, dessen Gesicht auch die Wahrsagebretter der Yoruba und Fon ziert. Die Krone des Königs zeugt vom mittelalterlichen Erbe Ifes als Zentrum der Glasperlenproduktion. Von dort geht bis heute die Führungslegitimation der Yoruba aus und es werden immer noch Kronen mit Perlen aus Ife hergestellt. Die Königinmutter in dieser Schnitzerei trägt Olokuns Farbe (Hellblau). Olokun, die Yoruba-Göttin des Reichtums, großer Gewässer, des Handels und der Fruchtbarkeit bereichert sowohl den König als auch seinen Stadtstaat durch ihre Perlen.

Der Vogel auf der Krone verweist auf einen seltenen Zugvogel (*Okin*), dessen Schwanzfedern in der Paarungszeit wachsen. Vögel erinnern außerdem an Zauberkunst und an die Macht des Herrschers, sich die Kräfte der Natur zunutze zu machen und vor Zauberern zu schützen. Das Gesicht vorn (und manchmal

Olowe of Ise
Pfosten der Veranda des Ikere-Yoruba-Palastes, der den König (Oba) und die Hauptfrau (Opo Ogoga) zeigt
Nigeria, 1910–1914
Holz,
152,5 x 31,8 x 40,6 cm
Art Institute of Chicago

Hinter dem König steht seine Mutter und dominiert diese Szene körperlich, wie es die Königinmütter auch im richtigen Leben taten. Sie wird zu einer Karyatiden-Figur (die den Verandabalken auf dem Kopf trägt). Ihre hohe Frisur ist besonders aufwendig, wie es einer Königinmutter gebührt. Sie hält die Rückenlehne des Herrscherstuhls gefasst, was andeutet, dass es ihr Tun war, das ihn in diese Position gebracht hat.

In Lagos ansässiger Luso-Yoruba-Architekt
Ebun House von Andrew W.U. Thomas, gebaut im Luso-afrikanischen Stil
Lagos, Nigeria, frühes 20. Jahrhundert
Fotografie von Pierre Verger (1902–1996)

Die Architektur des Luso-afrikanischen Barocks (Residenzen, religiöse Gebäude und andere Bauten) erforderte erfahrene Zimmerleute, neue Werkzeuge und Künstler, die mit Beton arbeiten konnten. Heimische Architekten (manchmal zurückgekehrte ehemalige Sklaven) verwandelten den überschwänglich voluminösen Stil in außerordentliche, skulpturenhafte Aussagen.

seitlich) an der Krone ehrt den Gründer des Königreichs. Diese Kronen besaßen einst perlenbesetzte Schleier, die das Gesicht des Herrschers verdeckten. Manchmal schmücken Doppeldreiecke die Fläche und künden von der Verbindung des Herrschers mit Shango, dem Gott von Donner und Blitz. Als Hüter der Könige kontrolliert Shango auch die Jahreszeiten (und den überaus wichtigen Regen) und schützt vor Diebstahl, da der Blitz auch Strafe bedeutet. Der sichere Sitz der Krone auf dem Kopf spielt auf die Tradition an, dass der Herrscher sterben könnte, falls er einen Blick in das Innere der Krone wirft, in der mächtige Medizinen aufbewahrt werden.

Diese Zeit sah auch künstlerische Aktivitäten früherer Sklaven. Es entstanden überschwängliche architektonische Formen, die den Einfluss Europas widerspiegelten. In Lagos, Nigeria, einer vor allem von Yoruba bewohnten Küstenstadt, deren Bewohner oft vor Kriegen in West- und Zentralafrika geflohen waren, bauten sich wohlhabende Personen aufwendig dekorierte Neobarock-Gebäude im Luso-afrikanischen Stil (oben). Die Barockarchitektur war ursprünglich ein Symbol des Kaiserreiches und verbreitete sich Ende des 16. Jahrhunderts von Italien nach Portugal, Spanien und Amerika (vor allem Brasilien), blühte bis Ende des 18. Jahrhunderts und wurde dann an der Küste Westafrikas (Nigeria, Republik Benin usw.) neu erfunden, als befreite Sklaven nach Afrika zurückkehrten.

Boso-Architekt/ Baumeister
Saho-Männer-Initiationshaus
Kolenzé, Mali,
20. Jahrhundert

Dieses Beispiel in Kolenzé, Mali, nutzt heimischen Lehm für den Bau eines Gebäudes im europäischen Kolonialstil. Es interpretiert den Stil der »tropischen Moderne« völlig neu mit seinen klassizistischen Säulen, Bögen und Balustraden, die zu einer Struktur aus mehreren Etagen angeordnet werden, die genügend große und kleine Öffnungen für eine ausreichende Luftzirkulation im heißen Klima besitzt.

Eines der kunstvollsten Gebäude ist das 1913 errichtete Ebun House in Lagos, Residenz eines reichen Oyo-Yoruba-Prinzen und erfolgreichen Auktionators namens Andrew W. U. Thomas (1865–1924). Im Inland kam dieser Baustil nicht nur für reiche Kakao-Händler in Mode, sondern auch für Höflinge und Anführer. Die wichtigsten Merkmale des Barocks mit Zement an ihre technischen und ästhetischen Grenzen zu treiben, war eine Möglichkeit, die Freiheit als Afrikaner zu feiern und gleichzeitig Europa in seinem eigenen architektonischen Stil zu überflügeln. Heute ist es wichtig, solche Strukturen zu erhalten.

Ein anderes besonders schönes architektonisches Beispiel betrifft die Bozo-Kultur der Architekten, die die bemerkenswerte Moschee von Djenné wieder aufgebaut haben. In dieser Zeit errichteten Baumeister der Bozo wunderschöne Initiationshäuser für Männer (*Saho*) am Ufer des Niger (unten). Diese waren für Bootsreisende, die zwischen Djenné und anderen Orten unterwegs waren, gut sichtbar. Der Name Bozo leitet sich vermutlich vom Bamana-Wort für »Strohhaus« (*bo so*) ab, was sich auf ihre traditionellen Häuser bezieht. Die Bozo galten in Mali und auch unter der französischen Kolonialherrschaft als gefragte Baumeister. Während die Europäer Zement für Strukturen in Bamako, der Hauptstadt Malis, und anderswo verwendeten, nutzten die Bozo-Architekten für ihre auf-

Seydou Keïta
Ohne Titel
Mali, 1948–1954
Silbergelatineabzug

Die hier gezeigte junge Frau mit einer teuren Uhr, Sandalen und einem Kopftuch sitzt vor einem Hintergrund aus üppiger Spitze und fast schon barock anmutenden Blumen und Blättern, die die satten Farben und Texturen faszinierend zur Geltung bringen.

wendig dekorierten Bauten Lehm. Diese Strukturen deuten zwar auf koloniale Formen hin, zeugen aber auch vom Stolz, diesen Detailreichtum auf technisch schwierigere Weise erreicht zu haben.

Mit zunehmender Unabhängigkeit Afrikas von 1945–1960 wandten sich Künstler der Schaffung neuer lokaler Welten mit einem Gefühl für die Moderne zu. Einer dieser talentierten Künstler, Seydou Keïta aus Mali (1921/23–2001), wählte das Fotoporträt als sein hauptsächliches Medium (gegenüber). Aus einer Familie von Tischlern in Malis Hauptstadt Bamako stammend, begann er zu fotografieren, als ein Onkel ihm 1935 eine Kamera, Modell Kodak Brownie, aus dem Senegal mitgebracht hatte. 1948 konnte sich Keïta sein erstes Studio leisten. Es war eine Zeit des relativen Wohlstands in Mali. Stadt- und Landbewohner (die Letzteren kamen immer nach der Ernte) sind in einem einzigartigen und vitalen Stil abgebildet. Das Foto hier ist aus Keïtas Anfangszeit und stellt ein gutes Beispiel für seine stark stilisierten Schwarz-Weiß-Kompositionen dar. Er bewahrte alle Negative auf (etwa 7.000–30.000 aus seiner gesamten Karriere). Diese zeugen vom einmaligen Zusammenspiel zwischen Fotograf (der Kleidung, Requisiten und Hintergrund bereitstellte) und Kunden, um die typischsten Elemente herauszuarbeiten. Nach Malis Unabhängigkeit 1962 wurde Keïta der offizielle Regierungsfotograf; ein Jahr später schloss er sein Studio. Erste Aufmerksamkeit im Westen erregte sein Werk 1991 als anonyme Fotografie in der Ausstellung »Africa Explores« am Center for African Art, New York City.

WICHTIGE IDEEN

- Während der Kolonialzeit spielten afrikanische Künstler und Mäzene wichtige militärische und diplomatische Rollen.
- Die kolonialen Praktiken der Europäer brachten einigen Gegenden Elend, während andere davon profitierten.
- Es wurden neue Arten der Kunstförderung sowie neue Waren oder Materialien eingeführt.
- Die kolonialen Aktivitäten beeinflussen das Ausstellen und Sammeln; historische künstlerische Praktiken werden aber in dieser Zeit weiter geschätzt.

WICHTIGE FRAGE

- Auf welche Art wird die Reaktion auf koloniale Aktivitäten und andere globale Fragen die Forschungs- und Ausstellungsstrategien für afrikanische Kunst in naher Zukunft neu gestalten?

ZEITGENÖSSISCHE KUNST: EIN NEUES GOLDENES ZEITALTER (1960 BIS HEUTE)

-

Zeit und Gezeiten warten auf niemanden.

-

Igbo-Sprichwort

Freddy Tsimba
Corps en mutation
(Mutierende Körper),
2006
Messing, Leder und
andere Materialien,
202 x 106 x 54 cm
Installation bei der
Dak'Art, 2006

***Corps en mutation* erzählt von dem Ausmaß an kolonialer Gewalt, die sich durch die Herrschaft des Diktators Mobutu fortsetzte und wegen des internationalen Hungers nach Diamanten, Kupfer und seltenen Erden für Mobiltelefone, Laptops und ähnliche Geräte bis heute nicht verschwunden ist. Das Werk ist aus Patronenhülsen und alten Armeestiefeln vom tatsächlichen Minenfeld der Vergangenheit und Gegenwart gefertigt.**

Der Überschwang der Unabhängigkeitsbewegungen startete in den 1960er-Jahren eine wichtige Periode des afrikanischen Kunstschaffens – ein »neues Goldenes Zeitalter« nicht nur der afrikanischen Kunst, sondern der globalen Beschäftigung mit aktuellen afrikanischen Werken. Diese Wiederbelebung wurde durch zahlreiche Kräfte verstärkt, etwa durch globale Ausstellungsplattformen wie die documenta (gegründet 1961, findet alle fünf Jahre statt), Festac '77 (auch: Second World Black and African Festival of Arts and Culture in Lagos, Nigeria) und Dak'Art (eine Biennale in Dakar, Senegal, mit Fokus auf der afrikanischen Kunst ab 1966). Die afrikanische Kunst profitierte außerdem von einer talentierten Gruppe vorrangig in Afrika geborener Kunstkritiker, angeführt vom nigerianischen Kurator Okwui Enwezor, die sich mit der neuen Generation von Künstlern in einer Weise auseinandersetzt, die den Status quo herausgefordert und der afrikanischen Kunst in der Weltkunst in visueller und theoretischer Hinsicht einen Platz verschafft hat. Diese Künstler, die sich außerhalb der Grenzen sowohl der Identitäten der neu unabhängigen Nationen als auch des reichen historischen Erbes der afrikanischen Kunst bewegen, erzielten kreative und finanzielle Erfolge durch öffentliche Aufträge auf der ganzen Welt. Oft greifen diese Werke die Herausforderungen der afrikanischen Geschichte – Sklavenhandel, Kolonialismus, Apartheid, Rassismus, Gender, Migration und Umwelt – auf eine Weise auf, die nicht nur visuelle Kraft und technischen Scharfsinn beweisen, sondern auch die kreativen Mächte früherer afrikanischer Kunstepochen einbeziehen.

Die neun Werke in diesem Kapitel – aus Bildhauerei, Malerei, Zeichnen, Fotografie, Collage und Installationskunst – sind nach außen gewandt, aber auch in der komplexen afrikanischen Geschichte verwurzelt. Ihre Künstler sind Teil einer größeren globalen Bewegung zeitgenössischer Kunst, die durch Spitzenagenturen repräsentiert wird, in renommierten Museen ausstellt und wichtige Aufträge erhält. Was unterscheidet die Werke dieser Künstler von anderen? Ein Faktor ist die Kraft der Form und der Vorrang der Skulptur. Gemeinsam ist diesen Werken aus unterschiedlichen Medien ihre einmalige Komplexität, ihr Reichtum und ihr Gefühl von Monumentalität und Kraft.

Es gibt eine Verspieltheit, die neben und im Gegensatz zu den ausgedrückten, oft ungemein schmerzhaften Ideen steht.

Freddy Tsimbas (geb. 1956, Demokratische Republik Kongo) Installation *Corps en mutation* (Mutierende Körper – gegenüber), vorgestellt auf der Dak'Art 2006, spricht zugleich Gegenwart und Vergangenheit an. Die auf dem Boden liegende Figur ist erschöpft von Krieg, Chaos und Ruin. Das Werk weckt Erinnerungen an das schmerzhafte Erbe der brutalen kolonialen Vergangenheit des Kongo – 8 bis 10 Millionen Menschen starben zwischen 1885 und 1908 unter der grausamen Herrschaft des belgischen Königs Leopold II. in Gummiplantagen und Bergwerken. Die machtvolle Assemblage spielt auf die Wurzeln der afrikanischen Assemblage-Kunst an, die Pablo Picasso auch bei der Entwicklung des Kubismus nutzte. Die zusammengesetzten Teile erzeugen Lücken, die von den Auswirkungen des Krieges auf die Leben und Seelen hier und anderswo erzählen. Die leeren Patronenhülsen sind gleichbedeutend mit den Leben der Menschen, die trotz vergangener Traumata und des allgegenwärtigen Todes irgendwie weitermachen müssen.

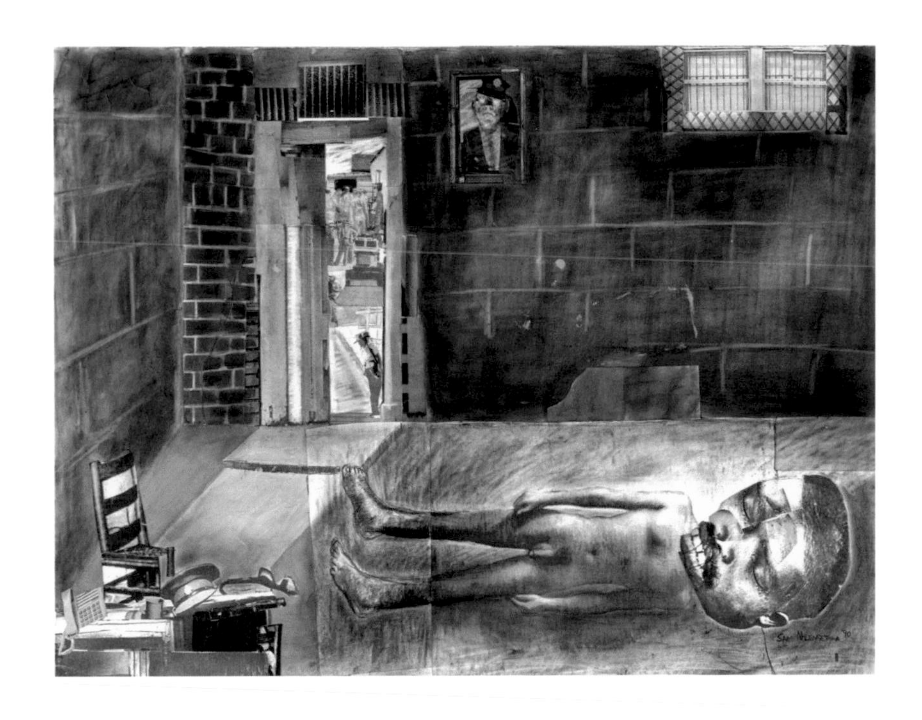

Die Zeichnung/Collage *It Left Him Cold* des Südafrikaners Sam Nhlengethwa (geb. 1955) spielt auf den Mord an Steve Biko an, einem Mitglied der Black Consciousness Movement (BCM), der 1977 bei Polizeiverhören zu Tode geprügelt wurde. Der an einer Straßensperre verhaftete und wegen seiner politischen Aktivitäten in Port Elizabeth eingesperrte Biko wurde später nackt und gefesselt vor einem Polizeikrankenhaus in Pretoria gefunden, etwa 1.100 Kilometer entfernt. Das durch die Tür einfallende Licht erhellt den nackten Betonboden. Wir sehen eine Person, die sich erstaunt nach vorn lehnt, sowie diskutierende Menschen. Sie und die Gebäude hinter ihnen, deren Fenster die Szene überblicken, waren vielleicht Zeugen der Gewalt. Biko wurde nach seinem Tod eine Ikone der Anti-Apartheid-Bewegung, ein gefeierter afrikanischer Märtyrer.

An der Ziegelwand aus gezeichneten und ausgeschnittenen Details hängt das Porträt eines Polizisten – es scheint, als hätten die Regierungsbehörden und allgemeiner noch die westliche Zivilisation den Tod gutgeheißen. Links vor dem Leichnam liegen Objekte, die als Zeugen und Beweise für das Verbrechen dienen – ein Schreibtisch, zwei Stühle, eine zerbrochene Brille, eine Polizeimütze, eine Schreibmaschine und eine orange Kaffeetasse. Die Verwendung der Collage spricht von Rissen und Heilung sowohl auf gesellschaftlicher

Sam Nhlengethwa
It Left Him Cold, 1990
Kohle- und Buntstiftzeichnung auf Papier,
69 x 93 cm
Wits Art Museum, Johannesburg

Nhlengethwas dunkle, graubraune Palette setzt die Stimmung für diese Szene. Dominiert vom nackten, geschundenen Körper des Toten, dessen Gesicht immer noch schmerzverzerrt ist, sieht man hier eine harte, brutale Darstellung, die noch durch den im Verhältnis zum Körper großen Kopf unterstrichen wird. Die ausgerissenen Collage-Elemente verstärken die unheimliche Wirkung noch.

als auch auf individueller Ebene und zeigt, wie Erinnerungen – und Archive – durch partielle und ungleiche Erinnerungsfragmente ein Gefühl für das Ganze zu vermitteln suchen. Sie spielt außerdem darauf an, wie südafrikanische Künstler die internationale Aufmerksamkeit auf die dem Apartheid-System innewohnende Gewalt und den Rassismus gelenkt haben. Das Werk war Teil der Whitechapel-Ausstellung »Seven Stories About Modern Art in Africa« von 1995 in London, in der die afrikanische Moderne erkundet wurde, wenn auch immer noch mit kolonialem Bezug.

Ousmane Sembènes Film *Black Girl* (unten) ist ungemein wichtig. Er ist nicht nur der erste große Film eines afrikanischen Filmemachers, sondern erzählt außerdem viel über das afrikanische Leben in der postkolonialen Ära. Sembène (1923–2007) war ein preisgekrönter Künstler, der sich nicht vor schmerzhaften und kontroversen Themen scheute, etwa in dem Film *Moolaadé* von 2004, bei dem es um weibliche Genitalverstümmelung ging. Dieses Szenenfoto aus *Black Girl*, französischer Titel *La noire de ...* (*Schwarzes Mädchen/Frau aus ...*), Sembènes erstem Spielfilm, zeigt die junge Senegalesin Diouana, die von Dakar nach Frankreich zieht, um als Kindermädchen zu arbeiten. Sie wird zur Arbeit als Dienerin gezwungen und ist im Haus ihres reichen Arbeitgebers eingesperrt. Hier werden die persönlichen Auswirkungen von Kolonialismus, Rassismus und des schmerzhaften Erbes der Sklaverei untersucht. Der Kontext ist vielen Afrikanern vertraut, die außerhalb ihres Kontinents nach Arbeit gesucht haben. Diouanas neue europäische

Ousmane Sembène
Szenenbild aus *Black Girl* (*La Noire de ...*), 1966
Französisch-senegalesischer Film

Diouanas Geschenk für das Paar, eine afrikanische Maske, die in ihrer Form an die heutigen Masken aus Dakars Touristenläden erinnert, ist eine entscheidende »Figur« des Films: Sie verweist nicht nur auf ihr Heimatland und ihre Kultur, sondern auch darauf, wie weit ihr Leben und ihr Wohlbefinden gelitten haben, während ihr langsam ihre Identität genommen wird.

Meschac Gaba
Sweetness, 2006
Zucker, 9 x 5,5 m
Installation, Biennale von São Paulo, 2006

Zucker als Material für dieses elegante Architekturmodell verweist auf das Erbe des Dreieckshandels, zeigt auf die harten Realitäten der euro-amerikanischen Begehrlichkeiten und erinnert an Leopolds II. Eifer, ebenfalls ein Stück des »wunderbaren afrikanischen Kuchens« zu bekommen.

Kleidung kontrastiert mit den bunten Mustern der heutigen Mode im Senegal und anderen afrikanischen Ländern. Die Maske an der Wand ist ein schattenhaftes Symbol sowohl der Vergangenheit als auch der Änderungen seit der kolonialen Übernahme. Dieser relativ neue Maskentyp wird oft speziell für Auswanderer geschnitzt und basiert möglicherweise auf Masken aus Mali.

Meschac Gaba (geb. 1961) aus der Republik Benin schuf für die Biennale von 2006 in São Paulo ein riesiges Stadtmodell unter dem Motto »Wie wir zusammen leben« (oben). *Sweetness*, das aus Zucker besteht und sich lose an die brasilianische Stadt Recife anlehnt, in der Gaba einen Residenzaufenthalt verbracht hatte, spielt auf Stadtentwicklungsmodelle an, bei denen Ideale nur allzu oft die Bedürfnisse der Bewohner ignorieren. Brasilien war ab dem 17. Jahrhundert ein wichtiger Zuckerproduzent. Afrikanische Sklaven ernteten das Zuckerrohr für die Zuckerprodukte, vor allem Rum und anderen Alkohol. Die kleinen Zuckerwürfel (Ziegel), die in der Republik Benin oft eher verfügbar sind als das für Transport und Elektrizität erforderliche Benzin (Öl), sind ein Verweis auf die besorgniserregende Wirtschaftslage. Hier geht es nicht nur um Gewalt und frühere Taten, sondern um die anhaltende Ausbeutung Afrikas (Mineralien, Wasser, Land, ausbeuterische Währungsstandards, Schulden, wissenschaftliche Studien und Waffenverkäufe) angesichts verheerender Probleme wie Klimawandel, Rassenungerechtigkeit und tiefgreifender sozio-ökonomischer Spaltungen.

El Anatsui
Gravity and Grace, 2010
Skulptur
Aluminium und
Kupferdraht,
4,80 x 11,20 m
Virginia Museum of Fine
Arts, Richmond

Jedes der texturierten Tableaus, die von einer ganzen Gruppe an Assistenten zusammengesetzt werden, wird zu einem Patchwork-Quilt des ausgewählten Themas. Licht schimmert auf der farbigen, sich wellenden Oberfläche und bringt lebhafte Details und tiefe Schatten hervor. Kuratoren, die diese Werke ausstellen, sind Teil des kreativen Prozesses, da jedes Werk auf vielfältige Weise aufgehängt werden kann, sodass sich seine visuelle Wirkung immer wieder verändert.

Freude (Süße), Schönheit und die Entwicklung der Zukunft haben einen hohen Preis.

El Anatsuis (geb. 1944) schimmerndes Metallwandbild *Gravity and Grace* (oben) ist aus den Aluminiumdeckeln von Schnapsflaschen zusammengesetzt. Dieses Werk des ghanaischen Künstlers, der lange in Nigeria aktiv war, ist zugleich eine monumentale Textilarbeit und eine Skulptur. Sein Aufbau erinnert an lebhaft gemusterte ghanaische Kente-Textilien. Die Komposition wird durch einen gemeinsamen Designprozess festgelegt und dann wird das Werk durch aufwendiges Abplatten, Lochen und Zusammenfügen der Deckel mittels Kupferdrähten hergestellt. Genau wie Meschac Gaba spricht El Anatsui die schwierige Geschichte und das Erbe des Sklavenhandels an sowie die Rolle, die der Alkohol darin gespielt hat. Da Flaschenverschlüsse oft im Müll zu finden sind, handelt dieses Wandbild auch von Fragen des Recyclings und der Umwelt.

Sammy Balojis (geb. 1978) großformatige Fotomontage des industriellen und kriegsgebeutelten Kongo (umseitig), Teil seiner Serie »Mémoire« (Erinnerung) von 2006, legt Archivbilder von kongolesischen Arbeitern aus der Kolonialzeit über seine eigenen Fotos aus dem Bergbaugebiet Lubumbashi Katanga, in dem er aufgewachsen ist. Der Kontrast aus dem einfarbigen Hintergrund und

den leuchtenden Farbtupfern betont die zeitlichen Veränderungen. Die zerrissene Hose und der eng geschnallte Gürtel des schwarz-weiß dargestellten Arbeiters im Vordergrund sind Hinweise auf das harte Leben der Bergleute. Die Collage-artigen Brüche und Nähte unterstreichen die visuelle Montage aus Vergangenheit, Gegenwart, Zukunft und fortlaufender Zeit. Die »Mémoire«-Assemblage richtet unsere Aufmerksamkeit auf den früheren Reichtum einer jetzt darniederliegenden Industrie und ein heftig umstrittenes Terrain in den räuberischen, globalen kapitalistischen Triebkräften in der Nachfolge der ausbeuterischen Kolonialzeit, die sich negativ auf Lebensqualität, Nachhaltigkeit und Wohlbefinden auswirken.

Die Tunesierin B'chira Triki (geb. 1964) ist Künstlerin und Mäzenin. Sie erschafft (gegenüber) Installationen, Gemälde sowie Keramiken, die sich elegant mit Form und Bewegung auseinandersetzen und dabei auf Material (Gold und anderes), arabische Kalligrafie und die Dynamik der Verschleierung anspielen. Verschleierung und die Idee von Trennung und Kommunikation, Transparenz und Erdung kommen ins Spiel. Oft nutzt sie Gold, ein wichtiges Handelsgut auf den Sahara-Routen. Nach der Revolution von 2011 unterstützte Triki junge Künstler, indem sie Werkstätten, Studios und eine Galerie zum Ausstellen ihrer Werke einrichtete.

Die südafrikanische Fotografin Zanele Muholi (geb. 1972) schafft Selbstporträts von einzigartiger Kraft und Tiefe. Die Serie »Somnyama Ngonyama (Hail, Dark Lioness)« (umseitig) befasst sich mit komplexen Ideen von Identität, Mode und Wiedereinbringen. Einzeln und zusammen bilden die Fotos eine Art von visuellem Aktivismus, der Homophobie und Rassenhass anspricht, zwei von Muholis wichtigsten Themen. Nach der Ausbildung in dem Johannesburger Workshop des Fotografen David Goldblatt, eines der vielen südafrikanischen Künstler, die am Aufbau des Fotoarchivs der Anti-Apartheid-Proteste mitwirkten, war Muholi Mitbegründerin mehrerer Gruppen für den Kampf um die Rechte von Frauen, Homosexuellen und Transpersonen.

Sammy Bolaji
Untitled 17, aus der Serie »Mémoire«, 2006
Digitales Archivfoto auf seidenmattem Papier

Durch das Zusammensetzen zweier Perspektiven derselben Landschaft werden nicht nur die verschiedenen Blickpunkte innerhalb des Werkes hervorgehoben, sondern auch die Brüche und Narben, die als Teil des kolonialen Erbes und der anhaltenden Bergwerksgeschichte der durch Korruption belasteten Regierung bleiben.

B'chira Triki
Le voile du silence
Installation, 2014

Dieses Werk zeigt Trikis Interesse an Frauen und Männern in Nordafrika und anderswo, wobei sie sich mit Fragen des Inneren und des Äußeren befasst. Sie verknüpft diese Ideen mit dem Ver- und Entschleiern in einer Art, die Frauen und ihre Körper einbezieht sowie die Beschränkungen einer Welt, die ihnen möglicherweise verschlossen ist.

Indem sie ihren eigenen Körper als Motiv nutzt, gestaltet sie sich selbst mit manchmal völlig banalen Materialien – in diesem Fall Putzkissen (Brillo), eine Form, die nicht nur auf die Geschichte von schwarzen Frauen und Dienstarbeit anspielt, sondern auch auf Hautaufheller, die in schwarzen Gemeinden verkauft wurden. Die Direktheit, mit der Muholi ausdruckslos in die Kamera starrt, macht aus diesen Porträts lebhafte Archetypen, die noch dadurch verstärkt werden, wie Muholi mit ihrer glatten, dunklen Haut umgeht – das Ganze erinnert an Praktiken der Modefotografie, ist aber auch eine Herausforderung an alte Schönheitsnormen, die Selbsthass erzeugen. Wie das Gebrüll eines Löwen, auf das der Titel des Werkes anspielt, kommen Schönheit und Ausdruckskraft zusammen, um Begehren und Gefahr im Zusammenhang mit Stigmatisierung und Vorurteilen in Bezug auf queere Identität in Afrika und auf der Welt zu erforschen.

Der aus Burkina Faso stammende Architekt und Gewinner des Pritzker-Preises Francis Kéré (geb. 1965) ist ein schöpferischer Aktivist, der manchmal die ganze Gemeinschaft am Entwurf und Bau seiner erstaunlichen Strukturen beteiligt. Viele seiner Projekte befinden sich in Afrika, vor allem in seinem Heimatland und im benachbarten Mali, es gibt aber auch einige in Europa, den USA und Asien. Kéré, der als Erster aus seinem Dorf eine Schule besuchte, arbeitete vor dem Architekturstudium als Zimmermann. Seine Operndörfer (S. 157) sind in einem klassisch afrikanischen Stil gehalten, der sowohl modern als auch zeitlos ist. Überhängende Dächer schützen die Mauern vor Sonne und Regen. Dieses 12 Hektar große Wohngebiet entsteht

Zanele Muholi
Bester V, Mayotte, 2015
Silbergelatineabzug,
Bildgröße: 50 x 41 cm,
Papiergröße: 60 x 51 cm.
Auflage von 8 + 2

Die scheinbar normale Kleidung, die Muholi verwendet, umfasst Wäscheklammern, große Sicherheitsnadeln, Kabelbinder, Reifen und Elektrodrähte. Diese umgeben Kopf und Körper und lassen an Sklaverei, Unterdrückung, Gewalt und Diskriminierung denken. Brillo-Putzschwämme scheinen die Haut weiß zu schrubben – sie verderben die Schönheit.

Francis Kéré
Opera Villages, begonnen 2010
Ouagadougou, Burkina Faso

Kéré erbaut seine Gebäude aus Ziegelsteinen. Seine Arbeiten nutzen oft aber auch Lehm und erinnern damit an architektonische Traditionen der Region. In diesem Projekt werden primäre und kontrastierende Geometrien durch kühne Asymmetrien wieder aufgegriffen und feiern die natürlichen, warmen Lehmfarben und die reichen, gegensätzlichen Texturen der einheimischen und importierten Materialien.

schrittweise in der Nähe der burkinischen Hauptstadt Ouagadougou. Es umfasst eine Schule, ein Theater, ein Ärztehaus, Werkstätten sowie Wohn- und Gästehäuser – gebaut als einfache Module in einer spiralförmigen Anordnung, die Platz für weiteres Wachstum bietet. Kérés Centre for Earth Architecture in Mopti, Mali, dient der Vermittlung von Wissen und Unterstützung für neue Generationen von Architekten aus Afrika und anderswo, die das Potenzial dieser Form kennenlernen wollen.

WICHTIGE IDEEN

- Heutige afrikanische Künstler treiben wichtige Ideen über globale Ereignisse voran.
- Anhaltende Fragen rund um Rassismus, Apartheid, Versklavung und das koloniale Erbe haben weiterhin Bedeutung.
- Neue Medien wie Film und Fotografie treten neben ältere Techniken wie die Assemblage.
- Neue Ausstellungskontexte in Afrika und anderswo helfen, diese neuen Kunstformen bekannt zu machen.

WICHTIGE FRAGE

- In welcher Art werden afrikanische Künstler die Kunstwelt weiter anführen und transformieren? Wie werden ihre Werke lokal anerkannt und bekannt gemacht?

REFLEXIONEN UND VERGLEICHE

-

Die Welten der Altvorderen versperren nicht alle Türen; sie lassen die richtige Tür offen.

-

Sambisches Sprichwort

Koufitougou-Architekt
Batammaliba-Haus
Koufitougou, Togo,
20. Jahrhundert

Die Batammaliba zogen in diese isolierte Berggegend, um Eroberung und Islamisierung zu entgehen. Hier schufen sie ein utopisches Modell. Jedes Haus wurde von einem Meister entworfen und hat dieselbe Grundform (eine Idealform aus fünf Kreisen/Ovalen mit geschwungenen Wänden), um so die relative gesellschaftliche Gleichheit aller Mitglieder dieser landwirtschaftlich geprägten Gemeinschaft auszudrücken, in der die Ältesten die Führung haben.

Wir haben uns mit der Geschichte der afrikanischen Kunst, ihren Kernthemen und regionalen Faktoren befasst. Der riesige afrikanische Kontinent hat eine lange Geschichte. Eine Zusammenfassung kann seinem Reichtum und seiner vielfältigen Kunst kaum gerecht werden. Wir schließen daher mit einer kurzen Betrachtung der wichtigsten Beispiele, die uns einzeln oder gemeinsam helfen, die afrikanische Kunst besser zu verstehen. Wie der Jazz mit seinen Offbeat-Phrasierungen enthält auch die afrikanische Kunst ein reiches, dynamisches Zusammenspiel an visuellen Elementen.

Afrikanische Architektur nutzt gern Stein, Korallen, Lehm und unbeständige Materialien, was oft sowohl Umwelt- als auch Gemeinschaftsinteressen widerspiegelt. Strohdächer müssen regelmäßig neu gedeckt und Lehm muss jährlich neu verputzt werden, was Familien und Gemeinschaften zusammenbringt. Lehm hat den Vorteil, dass er Wände in den kühleren Nachtstunden relativ warm und am heißen Tag relativ kühl hält. Dies beweisen die zweistöckigen Batammaliba- (Tamberma-) Häuser in Togo und der Republik Benin (oben) mit ihren individualisierten, abstammungs- und gemeinschaftsbezogenen Elementen. Konische Formen auf den Fassaden und an benachbarten Schreinen dienen als Ruhestätten für Ahnengeister, Gottheiten, im Kampf getötete Feinde und bei der Jagd erlegte Tiere. Der größte Hügel vor dem Tor sowie der nach Westen gewandte Eingang sind dem höchsten Gott Liye/Kuiye gewidmet. Die Moschee von Djenné besitzt ähnliche konische Formen – ein

Ägyptischer Schmuckkünstler
Skarabäen-Armreif aus dem Grab des Tutanchamun
Ägypten, 14. Jahrhundert v. Chr.
Gold, Edelstein und Glas, Durchmesser 6 cm
Ägyptisches Museum, Kairo

Eine zentrale Frage vieler Werke der afrikanischen Kunst besteht darin, wie scheinbar schlichte Elemente, etwa Mistkäfer, weit verbreitete künstlerische Praktiken, etwa die Schmuckherstellung, eine solch tiefe Bedeutung für die ganze Gemeinschaft oder Region tragen können.

Beweis für das bauliche Erbe. Die Batammaliba sprechen eine mit dem Dogon verwandte Gur-Sprache. Sowohl bei den Dogon als auch bei den Batammaliba symbolisieren Häuser und Dörfer den menschlichen Körper. Türen sind der Mund, die beiden erhöhten Getreidespeicher an den Ecken der Bauch. Stirbt der männliche Hausälteste, wird das Haus mit Stoff verhüllt und ist Fokus von Begräbnisriten, ganz als wäre es selbst verstorben.

Scheinbar normale oder ungewöhnliche Formen in afrikanischen Kontexten finden sich oft in der Kunst wieder. Im Alten Ägypten verkörperten Mistkäfer machtvolle und komplexe Ideen. Der Armreif (unten) aus der Grabkammer des Tutanchamun (ca. 1341 bis ca.1332 v. Chr.) betont zugleich den historischen Reichtum Afrikas (Gold) und den Einsatz ungewöhnlicher Formen für kosmologische Themen: hier den Mistkäfer, der – bergab gewandt – mit seinen Hinterbeinen eierbeladene Dungkugeln den Hügel hinauf rollt. Dieses und andere Beispiele afrikanischer Kunst bieten einen Einblick in die Macht des Alltäglichen und des Unerwarteten in Bezug auf den Wert des Lebens, der Religion und der Politik.

In ganz anderen afrikanischen Kontexten enthüllen Design-Strategien manchmal tiefer gehende gemeinsame Interessen. Zu den

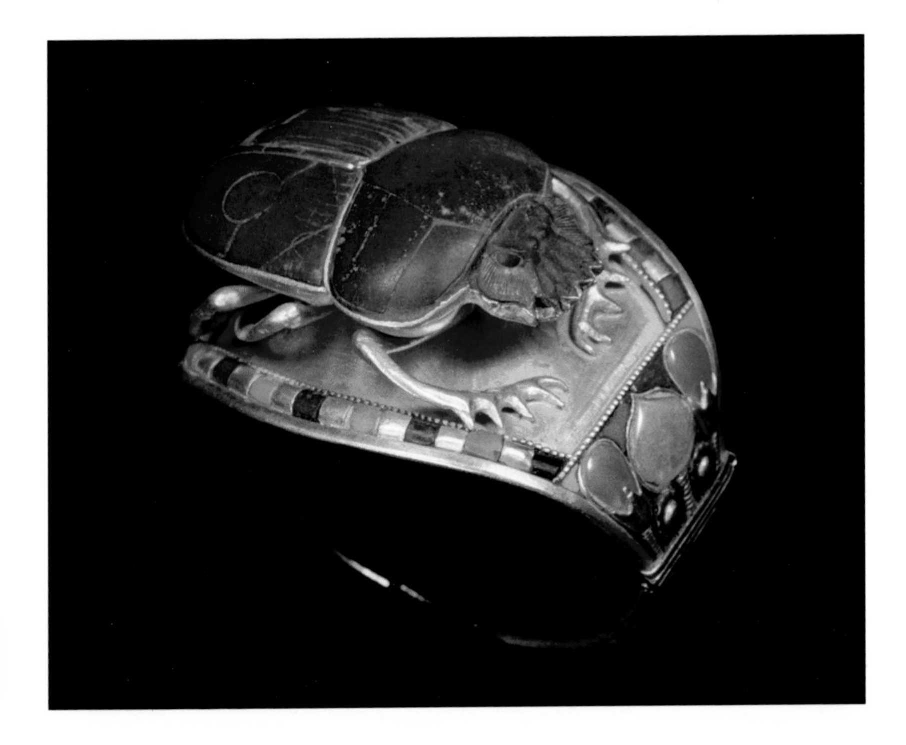

Beispielen solcher Dynamik und Vielfalt gehören die Raphia-Flortücher der Kuba (oben) und mittelalterliche koptische Textilien aus dem Niltal (gegenüber). Die Kuba stellen, wie die Baka und andere Pygmäen-Gruppen, ineinandergreifende asymmetrische Designs her. Für die wetteifernden Kuba sind die Design-Dynamiken ein wichtiger Teil der individuellen Ausdrucks- und Ausstellungsstrategien. Die Muster dienen nicht nur als Stoffumhüllungen, sondern auch als Verzierung für andere Objekte: Tanzkleidung, Tassen, Kosmetikbehälter, Musikinstrumente, Architektur und Umzäunungen. Eine mathematische Studie ihrer Textiltraditionen hat ergeben, dass die Kuba-Künstler erstaunliche 66% aller bekannten Design-Möglichkeiten in den Mustern ihrer Raphia-Flortücher verwenden. Manche der koptischen Textilien, wie etwa das hier gezeigte Beispiel, sind ähnlich komplex.

Im nördlichen Nigeria waren die einfachen Kuppelformen der nomadischen Fulani-Hirten, die ihre Rinder im Gebiet zwischen dem Senegal und Nigeria weideten, Inspiration für die Paläste und Moscheen der Hausa-Fulani-Architekten mit ihren großen Kuppeldächern. Viele Fulani traten schon früh zum Islam über und waren in den ersten Jahrzehnten des 19. Jahrhunderts Teil eines mächtigen

Kuba-Weber
Kuba-Textilie
Demokratische Republik Kongo,
19.–20. Jahrhundert
Raphia, 73 x 60 cm
Brooklyn Museum, New York

Textilien sind nicht weniger wichtig als Skulpturen und andere Kunstformen in Afrika. Die Muster der Kuba tragen Namen, die aus der Natur, der Kultur und der Geschichte abgeleitet sind und auf Wissensquellen in dieser Gesellschaft und ihrem kunsthistorischen Erbe verweisen.

Koptischer Weber
Koptische Textilie
Wolle und Leinen,
14,2 x 14 cm
Ägypten, spätes
4. Jahrhundert
Cooper Hewitt,
Smithsonian Design
Museum, New York

Diese Art von visuellem Wetteifern ist nicht nur eine bemerkenswerte mathematische Leistung, sondern auch eine faszinierend kreative. Einzeln und zusammen zeigen diese Formen die Lebendigkeit und visuell einnehmende Kraft der afrikanischen Textilien.

gesellschaftlichen Umsturzes unter Führung des Fulani-Geistlichen Usman dan Fodio (reg. 1803–1817). Dessen Bewegung stürzte lokale Könige, die sich nicht an die strengen religiösen Prinzipien hielten, und bestand auf der Einsetzung qualifizierter Hofadministratoren mit Kenntnissen des Arabischen. Manche Fulani ließen sich dauerhaft in Siedlungen und Städten nieder. Lokale technische Formen (eine »rudimentäre« Kuppel) fanden sich an dem heute nicht mehr vorhandenen Palast des malischen Königs Mansa Musa. In der wohlhabenden Stadt Djenné (Mali) ließen Sektenführer der Fulani die originale Freitagsmoschee zerstören; in Kano und anderen nigerianischen Fulani/Hausa-Zentren schufen sie neue Architekturen mit Kuppeln und geschmückten Fassaden.

Die Palastkuppel des Emirs von Kano (umseitig, oben) sprüht vor Farben und Mustern, wie es einem reichen und mächtigen Anführer geziemt. Jeder Kuppelabschnitt besteht aus paarigen horizontalen und vertikalen Querstücken, die aus den Wänden herausragen. An jeder Verbindung ist eine mehrfarbige Platte befestigt. Die Kernelemente der rippenartigen Unterstruktur sind mit lebhaften Mustern bemalt. Kleine rechteckige Fenster lassen Sonnenlicht ein, das seine

Muhammad Rumfa
Kano- (Hausa-) Palast
Kuppel-Innenseite
Nigeria, gebaut
1470–1499

Hausa-Fulani-Kuppeln (auf einer hohen Lehmmauer mit hölzernen Stützen) entstanden in den Hauptstädten der Hausa-Stadtstaaten wie Zaria und Kano. Diese Städte wurden im Mittelalter gegründet, als die lokale Bevölkerung zum Islam bekehrt wurde.

Beauftragt von Abd ar-Rahman I.
Große Moschee –
Kuppel-Innenseite
Córdoba, Spanien,
10. Jahrhundert

Dieses Rippengewölbe unterscheidet sich technisch völlig von römischen und byzantinischen Kuppeln mit Schlussstein, die zu dieser Zeit in Europa und dem Nahen Osten vorherrschten. Die Kuppel der asiatischen Steppennomaden ist ähnlich, ist aber anders als die afrikanischen Modelle zu weit entfernt, um das muslimische Andalusien beeinflusst zu haben.

eigenen lebendigen Muster erzeugt. Im Gegensatz dazu betonen die vereinfachten schwarz-weißen Flächen in der Hausa-Moschee in Zaria (Nigeria) die religiöse Reinheit und Ehrfurcht.

Die Technik des Kuppel-Rippengewölbes könnte Europa durch die mit den Fulani verwandten Tukulor im Gebiet des Senegalflusses erreicht haben, wo almoravidische Berber im 11. Jahrhundert siedelten, bevor sie Andalusien eroberten. Dort errichteten sie Befestigungsanlagen aus Lehm (wie etwa die Alhambra), da sie Lehmhäuser bevorzugten – ausgenommen Paläste, Moscheen und Bewässerungsanlagen. Für Wissenschaftler sind die andalusischen Lehmstrukturen ein Zeichen des afrikanischen Einflusses (u. a. der Berber). Das Rippengewölbe der Kuppel der Moschee in Córdoba (gegenüber unten) statt einer Kuppel mit Schlussstein im römischen Stil verweist eindeutig auf diesen afrikanischen Ursprung. Erbaut im 8. Jahrhundert, passt sie zu den Kuppelformen der Fulani, die aus einer »Außenhaut« auf einer Kuppelstruktur bestehen.

Historische Ideen und überregionale Ähnlichkeiten sind auch innerhalb Afrikas wichtig, z. B. bei mumienartigen Skulpturen. Bei den Bembe und Bwende im Norden des Kongo-Reiches ehrte man Familienoberhäupter mit *Muzidi*-Puppen (umseitig), die man vor dem Tod eines Ältesten erschuf. Später exhumierte man den Körper und fügte seine Überreste der Skulptur hinzu, die dann bei einer Gedenkfeier herumgetragen wurde und ihren Ruheplatz schließlich im Haus der Familie fand. Die Handgesten sowie die aufgestickten Motive symbolisieren philosophische Werte wie Kontinuität, Gemeinschaft und die Verbindung zwischen dieser und der nächsten Welt – ähnlich der symbolischen Nsibidi-Schrift von Cross River. Ob diese und vergleichbare Pseudomumien der Yoruba an alte Sitten aus dem Niltal anknüpfen, ist unklar, aber Familiengedenkstätten mit Reliquien sind verbreitete lokale Traditionen. All diese Beispiele künden vom ästhetischen und kulturellen Wert der Toten für die Lebenden und der Tatsache, dass Vergangenheit, Gegenwart und Zukunft immer präsent sind.

Unter den Berbervölkern (Mauretanien, Marokko, Algerien und Libyen) waren die Formen von Textilien und Schmuck von hohem ästhetischem und gesellschaftlichem Interesse. Die hübschen kleinen Messinghände an diesem Kopfschmuck (S. 167) sind besonders markant. Handformen sollen Schutz bieten, vor allem gegen den »bösen Blick« (Zauberei). Besonders bekannt ist die Hand von Fatima, der Tochter des Propheten Mohammed und seiner ersten Frau Chadidscha. Farbe ist wichtig: Rot bedeutet Schutz und Stärke, Gelb steht für Ewigkeit und Grün für Frieden. Berber spielten eine entscheidende Rolle in der Geschichte sowohl Afrikas

Bembe-Kongo-Künstler
Bembe-Kongo-*Niombo*-Figur
Demokratische Republik Kongo,
19.–20. Jahrhundert
Stoff und organische Materialien, 58 x 50 cm
Ethnografisches Museum, Stockholm

Diese Werke, als *Muzidi* bekannt, nehmen den Geist einer verstorbenen Person auf und bieten so eine Verbindung zwischen den Begründern einer Familie und den lebenden Nachkommen. Diese stoffumwickelten Figuren sind Ziel für Gebete sowohl zu allgemeinen als auch zu persönlichen Fragen von Gesundheit und Wohlbefinden. Sie wurden für Wahrsagezwecke und zum Ansprechen familiärer und persönlicher Probleme benutzt, die einer Lösung bedürfen.

als auch Südeuropas (Sizilien und Südspanien) als frühe Verbreiter des Islam und Gründer der bedeutenden Fatimiden-Dynastie. Ihre Akzeptanz anderer Religionen (Judentum, Christentum und traditioneller Glaubensrichtungen) prägte Zivilisationen, die zutiefst an Wissen interessiert waren, aber auch einflussreiche Werke in Kunst und Architektur schufen.

Dieser handförmige Schmuck zeigt, welche vielfältigen Bedeutungen afrikanische Formen oft annehmen. Viele Orte in Afrika sind vom Judentum (genau wie vom Christentum und dem Islam) geprägt, wie man im Zusammenhang mit den Berbern erkennt, deren Fatimiden-Dynastie in Ägypten, Nordafrika und Spanien den Islam etabliert. Dieses Erbe zeigt sich in jüdischen Tempeln und Friedhöfen (wie etwa in Fès, Marokko) ebenso wie an Schmuck und anderen dekorativen Künsten. Viele nordafrikanische jüdische Frauen tragen ähnliche Handamulette (Hamsa/Khamsa) als Schutz. Die Zahl Fünf (hier: die fünf Finger) hat im Judentum eine besondere Bedeutung. Genau wie andere afrikanische Kunstformen kann man dieses Motiv ganz verschieden interpretieren.

René Mattes
Berber-Frau beim Douz-Festival mit einem »Hand der Fatima«-Schmuck
Tunesien, 2000

Der Kontext, in dem diese Frau erscheint, ein internationales Sahara-Festival im tunesischen Douz, wurde 1910 begründet und umfasst nicht nur Wettbewerbe zwischen Kamel- und Pferdereitern aus der Sahara, sondern auch die Anbahnung von Ehen. Genau wie die neueren Kunstveranstaltungen, wie etwa die Dak'Art (Senegal), bringen die Veranstaltungen in Douz internationale Besucher in diese Gegend.

Trotz der lange gehegten Vorstellung, dass Afrika und seine Kunst irgendwie vom Rest der Welt isoliert waren, erleben wir eine ganz andere Perspektive, wenn wir afrikanische Kunst in einem breiteren chronologischen und kulturellen Rahmen betrachten. Wir haben in diesem Buch versucht, alte Mythen und Missverständnisse zu entkräften. Mit dem Aufkommen neuer Theorien zu Entwicklung und Unterschieden im sogenannten Zeitalter der Aufklärung wurde Afrika allzu oft ein Mangel an wichtigen menschlichen Werten, etablierten religiösen Überzeugungen oder reichen künstlerischen Praktiken bescheinigt. Afrikanische Kulturen haben nicht nur ihre eigenen Schreibsysteme entwickelt, sondern auch Räder verwendet (für die Kunst, zum Spinnen und manchmal auch zum Töpfern) und ihre Historien, Religionen und politischen Systeme durch ein Spektrum an komplexen Kunstformen bewahrt und gefeiert. In manchen Fällen haben afrikanische Gruppen andere Orte kolonisiert; aber Afrika war auch von globalen Ereignissen wie dem Schwarzen Tod betroffen. Der Handel mit Waren, technische Entwicklungen und die transatlantische Sklaverei haben ihre Spuren hinterlassen, auch wenn Kunst und Kultur weiter geblüht haben und als Beweis dienten, dass diese Ereignisse vor allem wirksam waren. Diese kurze Geschichte der afrikanischen Kunst zeigt, dass Kreativität, Innovation, Erfindungsgeist und eine stetige, sowohl innere als auch global bezogene Weiterentwicklung schon lange treibende Kräfte waren.

GLOSSAR

Anthropomorphismus: die Zuweisung menschlicher Eigenschaften zu anderen Formen, wie Tieren oder Gebäuden.

Antike Kunst: eine Bezeichnung für die frühesten afrikanischen Kunstwerke (bis etwa 1000).

Apartheid: das Regierungssystem der Rassentrennung in Südafrika.

Aufklärung: Theorie der Frühen Neuzeit, die europäische »Vernunft« und »wissenschaftliche Beweise« in Bezug auf Sklaverei und Rassismus zu validieren versuchte.

Benin: bezieht sich entweder auf das Königreich Edo im südlichen Nigeria oder die benachbarte, moderne Republik Benin.

Berber: Völker in Nordafrika und der Sahara, auch als Amazigh bezeichnet.

Bes: ägyptische Gottheit des Haushalts, der Musik und der Geburt, oft mit großem Kopf, gedrungenem Körper, breiten Ohren und herausgestreckter Zunge dargestellt.

Frühe Neuzeit: die Zeit zwischen dem Mittelalter und dem Industriezeitalter, dominiert durch globale Entdeckungen und Eroberungen aus wirtschaftlichen und politischen Interessen.

Ghana: Das mittelalterliche Ghana befand sich im Quellgebiet des Senegalflusses, das heutige Ghana liegt an der afrikanischen Atlantikküste.

Gorgonen: Medusa und ihre Schwestern in der griechischen Mythologie, oft mit Schlangenhaaren, spitzen Zähnen und heraushängender Zunge dargestellt.

Kolonialismus: Zeit der europäischen politischen und wirtschaftlichen Kontrolle über fast ganz Afrika von Ende des 19. bis Anfang des 20. Jahrhunderts.

Kongo: bezieht sich entweder auf die zwei zentralafrikanischen Länder (die Demokratische Republik Kongo und die Republik Kongo) oder das Königreich, das früher diese Region dominierte.

Koptisch: die historische und heutige Form des Christentums in Ägypten und Nubien, manchmal byzantinisches Afrika genannt.

Kosmologie: Glaubensvorstellungen über den Himmel, die Zeit und die Jahreszeiten.

Kunst: visuelle und andere Kulturformen, die aus verschiedenen Gründen geschaffen und für ihr Design, ihren intellektuellen Anspruch, ihre Raffinesse, ihre Schönheit, ihren Nutzwert oder ihre Ausdruckskraft geschätzt werden.

Mali: bezieht sich sowohl auf das mittelalterliche Reich am mittleren Niger als auch auf den heutigen Staat, der einen Großteil des früheren Reiches umfasst.

Manuskript: ein Papyrus-, Pergament- oder Papierdokument mit Text und/oder Bildern.

Mittelalterlich: eine Zeit des beträchtlichen lokalen und internationalen Handels zwischen Antike und Früher Neuzeit.

Niger-Benue-Zusammenfluss: Gebiet in Zentralnigeria, in dem die Flüsse Niger und

Benue zusammenfließen. Während eines Teils des Jahres fließt Wasser aus dem Benue in den Tschadsee.

Nomadentum: eine gesellschaftliche und ökonomische Bezeichnung für Völker, die aufgrund ihrer Arbeit regelmäßig umherziehen: mit ihren Herden, zum Fischen usw.

Ocker: ein roter oder gelber Stein, dessen Pulver oft zur Körperbemalung oder zum Färben von Textilien verwendet wird.

Ogboni: die Yoruba- (nigerianische) Vereinigung zum Schutz der Straßen, zur Rechtsprechung, zum Bestrafen von Verbrechen, zur Wahl des Königs und zur Kontrolle der Monarchen.

Pastoralismus: nomadischer Lebensstil und Wirtschaftsform der Herdenwirtschaft.

Pharao/Pharaonismus: altägyptischer Herrscher; Bezeichnung späterer Vorstellungen und Kunstpraktiken, die sich auf altägyptische politische und religiöse Kunst und Architektur beziehen.

Restitution: Rückgabe von Kunstwerken, die, oft in kriegerischen Handlungen, ihren rechtmäßigen Eigentümern weggenommen wurden.

Sahel: die sehr trockene Randzone südlich der Sahara.

Savanne: eine grasbewachsene Ebene, meist zwischen Wald- und Trockengebieten.

Schrein: eine religiöse Anlage, die je nach den damit verbundenen Göttern verschiedene Formen annehmen kann.

Sirene: fischbeinige Menschen der griechischen Mythologie, oft mit zwei Beinen, die in Fischschwänzen enden.

Stamm, Tribe: oft abwertender Begriff für afrikanische Kulturen und Zivilisationen, der in der Kolonialzeit aufkam.

Sudan (östlicher): bezieht sich auf die zentralafrikanische Savanne sowie das Land südlich von Ägypten (das alte Nubien).

Sudan (westlicher): bezieht sich auf die westafrikanische Savanne zwischen den Wäldern und der Sahara.

Wachsausschmelzverfahren: Methode zum Gießen von Messing, Bronze oder anderen Kupferlegierungen, bei der die Lehmform mit Wachs bedeckt wird, das später mithilfe von Hitze entfernt und durch geschmolzenes Metall ersetzt wird.

Wahrsagerei: rituelle Praxis des Ermittelns der Gründe für bestimmte Ereignisse sowie der Schadensbegrenzung.

Zoomorphismus: die Zuweisung tierischer Eigenschaften zu anderen Formen wie Menschen oder Gebäuden.

BIBLIOGRAFIE

Blench, Roger, *Archaeology, Language, and the African Past* (Lanham, MD: AltaMira Press, 2006)

Blier, Suzanne Preston, *Royal Arts of Africa: The Majesty of Form* (London: Laurence King, 2012)

Blier, Suzanne Preston (Autorin) und James Morris (Fotograf), *Butabu: Adobe Architecture of West Africa* (Princeton: Princeton University Press, 2003)

Cole, Herbert M., *Maternity: Mothers and Children in the Arts of Africa* (Brüssel: Mercatorfonds, 2017)

Doxey, Denise M., Rita E. Freed, Lawrence M. Berman, *Arts of Ancient Nubia* (Boston: Museum of Fine Arts, 2018)

Ehret, Christopher, *The Civilizations of Africa: A History to 1800* (Charlottesville, VA: University of Virginia Press, 2016)

Enwezor, Okwui und Chinue Achebe (Hrsg.), *The Short Century: Independence and Liberation Movements in Africa 1945–1994* (London: Prestel, 2001)

Falola, Toyin und Timothy Stapleton, *A History of Africa* (Oxford: Oxford University Press, 2021)

Fauvelle, François-Xavier, *The Golden Rhinoceros: Histories of the African Middle Ages* (Princeton, NJ: Princeton University Press, 2018)

Fraser, Douglas und Herbert S. Cole (Hrsg.), *African Art and Leadership* (Madison, WI: University of Wisconsin Press, 2004)

Gates, Henry Louis Jr., *Africa's Great Civilizations.* (Public Broadcasting System, Fernsehserie, 2017)

LaGamma, Alyssa, *Kongo: Power and Majesty* (New York: Metropolitan Museum of Art, 2015)

— *Sahel: Art and Empires on the Shores of the Sahara* (New York: Metropolitan Museum of Art, 2020)

McDonald, Kevin und François Richard (Hrsg.) *Ethnic Ambiguity and the African Past: Materiality, History and the Shaping of Cultural Identities* (London: Routledge, 2015)

Meier, Sandy Prita, *Swahili Port Cities: The Architecture of Elsewhere* (Bloomington, IN: Indiana University Press, 2016)

Ogundiran, Akinwumi und Toyin Falola (Hrsg.), *Archaeology of Atlantic Africa and the African Diaspora* (Bloomington, IN: University of Indiana Press, 2010)

Okeke-Agulu, Chike und Okwui Enwezor, *Contemporary African Art Since 1980* (Bologna: Damiani, 2009)

Teeter, Emily (Hrsg.), *Before the Pyramids: The Origins of Egyptian Civilization* (Chicago, IL: Oriental Institute of University of Chicago, 2011)

Thompson, Robert Farris, *Flash of the Spirit: African & Afro-American Art & Philosophy* (New York: Vintage, 1984)

Thornton, John, *Africa and Africans in the Making of the Atlantic World, 1400–1800* (Cambridge: Cambridge University Press, 1998)

Visona, Monica Blackmun, Robin Poynor und Herbert M. Cole, *History of Art in Africa* (Hoboken, NJ: Prentice Hall, 2007)

INDEX

Kursive Zahlen beziehen sich auf die Illustrationen

BILDNACHWEISE

2 (Detail) © Zanele Muholi. Mit frdl. Gen. von Stevenson, Kapstadt/Johannesburg/Amsterdam und Yancey Richardson, New York; **4** Yale University Art Gallery, New Haven; **8** Minneapolis Institute of Art. The Christina N. and Swan J. Turnblad Memorial Fund; **10** Drazen Tomic; **11** British Library, London; **12-13** Bibliothèque nationale de France, Paris; **14** Pavillon des Sessions, Musée du Louvre, Paris. Foto Musée du quai Branly - Jacques Chirac, Dist. RMN-Grand Palais/Hughes Dubois; **15** Lam Museum of Anthropology, Wake Forest University, Winston-Salem; **16** Minneapolis Institute of Art. Geschenk von William Siegmann; **17** Metropolitan Museum of Art, New York. Erwerb, Buckeye Trust und Charles B. Benenson, Geschenke, Rogers Fund und Stiftungen von verschiedenen Spendern, 1979; **18** Foto Cyril Punch; **19** Barnes Foundation, Philadelphia; **21** Benin City National Museum. Foto akg-images/André Held; **22** Ägyptisches Museum und Papyrussammlung, Berlin. Foto Scala, Florenz/bpk, Bildagentur für Kunst, Kultur und Geschichte, Berlin; **23** British Museum, London. Foto The Trustees of the British Museum; **24** Autorin Magdalena Laptas. Mit frdl. Gen. von Bogdan Żurawski und dem Polnischen Zentrum für Mediterrane Archäologie der Universität Warschau; **25** Nigerian National Museum, Lagos. Foto akg-images/Andrea Jemolo; **26** British Museum, London. Foto The Trustees of the British Museum; **27** Yale University Art Gallery, New Haven; **29** Minneapolis Institute of Art. The Christina N. and Swan J. Turnblad Memorial Fund; **30** Yale University Art Gallery, New Haven; **32** (Detail) Ägyptisches Museum, Kairo. Foto Alfredo Dagli Orti/Shutterstock; **34** Foto mit frdl. Gen. von Abdeljalil Bouzouggar; **35** Iziko South African Museum, Kapstadt. Foto Heritage Images/Fine Art Images/Diomedia; **36** Foto Ariadne Van Zandbergen/Alamy Stock Photo; **37** Foto David Coulson/Robert Estall photo agency/Alamy Stock Photo; **39** Mit frdl. Gen. von Raymond Betz; **40** Ägyptisches Museum, Kairo; **42** Foto Robert Burch/Alamy Stock Photo; **44** British Museum, London. Foto The Trustees of the British Museum; **45** Ägyptisches Museum, Kairo. Foto Alfredo Dagli Orti/Shutterstock; **46** Staatliches Eremitage-Museum, St. Petersburg. Foto Werner Forman Archive/Diomedia; **47** Ägyptisches Museum, Kairo. Foto DeAgostini/Superstock; **48** Metropolitan Museum of Art, New York. Erwerb, Joseph Pulitzer Bequest Fund, 1955; **49** National Museums Scotland, Edinburgh; **50** Foto Sean Sprague/Alamy Stock Photo; **53** Archäologisches Museum Tripolis. Foto The Picture Art Collection/Alamy Stock Photo; **54** Pavillon des Sessions, Musée du Louvre, Paris. Foto Gianni Dagli Orti/Shutterstock; **57** British Museum, London. Foto The Trustees of the British Museum; **58** (Detail) Foto Cavan Images/iStock by Getty Images; **60** Foto mit frdl. Gen. von Estate of Thurstan Shaw. © The Estate of Caroline Sassoon; **62** Nigerian National Museum, Lagos. National Commission for Museums and Monuments, Nigeria. Foto mit frdl. Gen. von Estate of Thurstan Shaw; **63** Nigerian National Museum, Lagos. Foto mit frdl. Gen. von National Commission for Museums and Monuments, Nigeria; **64** Nigerian National Museum, Lagos. Foto akg-images/Pictures From History; **67** Nigerian National Museum, Lagos. Foto mit frdl. Gen. von National Commission for Museums and Monuments, Nigeria; **69** Nelson-Atkins Museum of Art, Kansas City. Foto Heini Schneebeli/Bridgeman Images; **70** Foto akg-images/Africa Media Online/Justin Fox/africanpictures.net; **72** Art Institute of Chicago. Geschenk von Grace Hokin; **73** Bayerische Staatsbibliothek; **74** Foto Cavan Images/iStock by Getty Images; **75** Mapungubwe Collection, University of Pretoria Museum, South Africa. Foto Heritage Images/Fine Art Images/Diomedia; **77** Foto Denny Allen/Gallo Images/Superstock; **78** Foto Nigel Pavitt/John Warburton-Lee Photography/Alamy Stock Photo; **79** Foto Nathan Harrison/Alamy Stock Photo; **80** Morgan Library & Museum, New York. Foto The Morgan Library & Museum/Art Resource, NY/Scala, Florenz; **82** Foto Nigel Pavitt/John Warburton-Lee Photography/Alamy Stock Photo; **85** Iziko South African Museum, Kapstadt. Foto Aubrey Byron über akg-images/Africa Media Online/Iziko Museum; **86** (Detail) Foto Eric Lafforgue/Gamma-Rapho über Getty Images; **89** Metropolitan Museum of Art, New York. Geschenk von Ernst Anspach, 1999; **91** Brooklyn Museum, New York. Erworben mit Mitteln von Mr. und Mrs. Alastair B. Martin, Mrs. Donald M. Oenslager, Mr. und Mrs. Robert E. Blum und dem Mrs. Florence A. Blum Fund; **92** Metropolitan Museum of Art, New York. Geschenk von Paul und Ruth W. Tishman, 1991; **93** Metropolitan Museum of Art, New York. The Michael C. Rockefeller Memorial Collection, Geschenk von Nelson A. Rockefeller, 1972; **95** Ethnologisches Museum Berlin. Foto Scala, Florenz/bpk, Bildagentur für Kunst, Kultur und Geschichte, Berlin; **96** Musée Africain de Lyon; **97** Museum Ulm; **98** Foto Jean-Marc Bouju/AP/Shutterstock; **99** Wallace Collection, London. Foto Wallace Collection, London/Bridgeman Images; **100** Foto Adama Diarra/Reuters/Alamy Stock Photo; **101** Foto Mohammed Labghail/Shutterstock; **102** Foto Jorge Fernández/LightRocket über Getty Images; **103** Foto Eric Lafforgue/Gamma-Rapho über Getty Images; **104** Foto MarcPo/iStock von Getty Images; **106** Metropolitan Museum of Art, New York. Erwerb, The Michael C. Rockefeller Memorial Collection, Stiftung von Nelson A. Rockefeller, im Austausch, 1983. Foto The Metropolitan Museum of Art/Art Resource/Scala, Florenz; **109** Metropolitan Museum of Art, New York. The Michael C. Rockefeller Memorial Collection, Geschenk von Nelson A. Rockefeller, 1965; **110** Metropolitan Museum of Art, New York. Erwerb, The Michael C. Rockefeller Memorial Collection, Stiftung von Nelson A. Rockefeller, im Austausch, 1983. Foto The Metropolitan Museum of Art/Art Resource/Scala, Florenz; **111** Brooklyn Museum, New York. Museum Expedition 1922, Robert B. Woodward Memorial Fund, 22.1138; **112** Yale University Art Gallery, New Haven; **113** Privatsammlung. Foto Museum Associates/LACMA; **115** Privatsammlung von Wolf-Dietrich Nickel. Mit frdl. Gen. von africanarttreasures.de; **116** Metropolitan Museum of Art, New York. Geschenk von Mr. und Mrs. Klaus G. Perls, 1991; **118** Museum of Archaeology and Anthropology, University of Cambridge; **119** Metropolitan Museum of Art, New York. The Michael C. Rockefeller Memorial Collection, Stiftung von Nelson A. Rockefeller, 1979. Foto The Metropolitan Museum of Art/Art Resource/Scala, Florenz; **120** Art Institute of Chicago. Foto Art Institute of Chicago/Ada Turnbull Hertle Endowment/Bridgeman Images; **121** Los Angeles County Museum of Art; **122** Dallas Museum of Art; **123** Privatsammlung. Foto Heini Schneebeli/Bridgeman Images; **124** ewastock travel/Elizabeth Whiting & Associates/Alamy Stock Photo; **126** Metropolitan Museum of Art, New York. Geschenk von Lester Wunderman, 1977; **127** Foto Wolfgang Kaehler/LightRocket über Getty Images; **128** Yale University Art Gallery, New Haven; **131** Pavillon des Sessions, Musée du Louvre, Paris. Foto Musée du quai Branly – Jacques Chirac, Dist. RMN-Grand Palais/Hughes Dubois; **132** Früher Musée du quai Branly – Jacques Chirac, Paris. Rückgabe an Republik Benin. Foto RMN-Grand Palais/Dist. Foto SCALA, Florenz; **134** Yale University Art Gallery, New Haven; **135** Metropolitan Museum of Art, New York. Geschenk von Marcia und Irwin Hersey, 1993; **136** Kimbell Art Museum, Fort Worth. Foto Kimbell Art Museum, Fort Worth, Texas/Art Resource, NY/Scala, Florenz; **137** Metropolitan Museum of Art, New York. The Michael C. Rockefeller Memorial Collection, Erwerb, Nelson A. Rockefeller, Geschenk, 1970 (1978.412.619). Foto The Metropolitan Museum of Art/Art Resource/Scala, Florenz; **138** Musée Royal de Foumban, Palais de Foumban. © Ibrahim Njoya; **139** Foto mit frdl. Gen. von Herbert Cole; **141** Art Institute of Chicago. Major Acquisitions Centennial Fund; **142** © Fundação Pierre Verger; **143** Foto mit frdl. Gen. von Annette Schmidt; **144** © Seydou Keïta/SKPEAC, mit frdl. Gen. von The Jean Pigozzi African Art Collection; **146** (Detail) Virginia Museum of Fine Arts, Richmond, VA. © El Anatsui. Mit frdl. Gen. des Künstlers und Jack Shainman Gallery, New York; **148** Installation in Dak'Art, 2006. © Freddy Tsimba; **150** Standard Bank African Art Collection, Wits Art Museum, Johannesburg. © Sam Nhlengethwa. Mit frdl. Gen. des Künstlers und Goodman Gallery; **151** Foto Collection Christophel/Filmi Domirev/ArenaPAL; **152** Installation, Bienal de São Paulo, 2006. Foto Chrys Omori. © Meschac Gaba. Mit frdl. Gen. von Stevenson, Kapstadt/Johannesburg/Amsterdam; **153** Virginia Museum of Fine Arts, Richmond, VA. © El Anatsui. Mit frdl. Gen. des Künstlers und Jack Shainman Gallery, New York; **154** © Sammy Baloji; **155** Mit frdl. Gen. von B'chira Triki Bouazizi; **156** © Zanele Muholi. Mit frdl. Gen. von Stevenson, Kapstadt/Johannesburg/Amsterdam und Yancey Richardson, New York; **157** Foto Kéré Architecture; **158** (Detail) Carla De Benedetti/www.cdbstudio.com; **160** Foto Suzanne Blier; **161** Foto Mark Moffett/Minden Pictures/Alamy Stock Photo; **162** Brooklyn Museum, New York. Geschenk von The Roebling Society, 1989.11.2.; **163** Cooper Hewitt, Smithsonian Design Museum, New York. Geschenk von John Pierpont Morgan; **164** (oben) Carla De Benedetti/www.cdbstudio.com; **164** (unten) Foto mit frdl. Gen. von Manuel Parada López de Corselas; **166** Ethnografisches Museum, Stockholm; **167** Foto René Mattes/mauritius images GmbH/Alamy Stock Photo

ART ESSENTIALS

www.artessentials.de
www.midascollection.com

IMPRESSUM

ISBN 978-3-03876-247-8

Herausgeber: Gregory C. Zäch
Übersetzung: Kathrin Lichtenberg,
Korrektorat: Petra Heubach-Erdmann
Layout: Ulrich Borstelmann

Midas Verlag AG
Dunantstrasse 3
CH 8044 Zürich

www.midas.ch

Englische Originalausgabe:
The History of African Art © 2023
Thames & Hudson Ltd, London
Text © Suzanne Preston Blier
Design by April

Die deutsche Nationalbibliothek verzeichnet diese Publikation in der Deutschen Nationalbibliografie; detaillierte bibliografische Daten sind im Internet abrufbar unter: http://www.dnb.de

Printed in China

QUELLENANGABEN

Cover: Yoruba Sitzende Figur, möglicherweise aus Ile-Ife, gefunden in Tada, Nigeria, spätes 13./14. Jahrhundert. Kupfer, 53,7 x 34,3 x 36 cm. National Museum of Lagos. National Commission for Museums and Monuments, Nigeria. Foto akg-images/Andrea Jemolo

Titelseite: Zanele Muholi, *Bester V, Mayotte*, 2015 (Detail von Seite 156). Silbergelatineabzug, Bildgröße: 50 x 41 cm, Papiergröße: 60 x 51 cm. Auflage von 8 + 2 © Zanele Muholi. Mit frdl. Gen. von Stevenson, Kapstadt/Johannesburg/Amsterdam und Yancey Richardson, New York

Seite 4: Baga-Holzschnitzer, Baga-D'mba-Maskenkopfputz (auch auf Seite 27). Guinea, 19.–20. Jahrhundert. Holz und Messing, 132 x 39 x 61,5 cm Yale University Art Gallery, New Haven

Kapiteleinstiege: Seite 8 Mende-Holzschnitzer, Sande-Sowei-Maske, Sierra Leone, Mitte des 20. Jahrhunderts (Detail von Seite 29); **Seite 32** Ägyptischer Maler, Gemaltes Relief von Königin Iti, Mitregentin aus Punt, Hatschepsuts Grabtempel, Deir el-Bahri, Ägypten, ca. 1473–58 v. Chr. (Detail von Seite 45); **Seite 58** Architekt aus Marrakesch, Koutoubia-Moschee Minarett und Außenmauern, Marrakesch, Marokko, 1195 (Detail von Seite 74); **Seite 85** Swahili-Holzschnitzer, Tür, Stone Town, Sansibar, Tansania, 19. Jahrhundert (Detail von Seite 103); **Seite 106** Kota-Künstler, Reliquienfigur (*Mbulu Ngulu*), Gabun, 19.–20. Jahrhundert (Detail von Seite 110); **Seite 128** Kongo-Künstler, Kongo Nkisi-Nkonde-Figur, Demokratische Republik Kongo, 19.–frühes 20. Jahrhundert (auch auf Seite 134); **Seite 146** El Anatsui, *Gravity and Grace*, 2010 (Detail von Seite 153); **Seite 158** Muhammad Rumfa, Kano- (Hausa) Palast, Kuppel-Inneres, Nigeria, erbaut 1470–99 (Detail von Seite 164)

DANKSAGUNGEN
Großer Dank geht an die Mitarbeiterinnen und Mitarbeiter sowie Kollegen des I Tatti Zentrum für Studien der Italienischen Renaissance der Harvard University in Florenz, Italien, wo ein Großteil dieses Buches geschrieben wurde. Besonderer Dank gebührt außerdem: Ana Lucia Araujo, Roger Blench, Sandro Capo Chichi, Gérard Chouin, Herbert Cole, Rita Freed, Cecile Fromont, Henry Louis Gates, Jr., Candice Goucher, Lisa Homann, Shamil Jeppie, Alisa LaGamma, Frederick Lamp, Kevin McDonald, Steven Nelson, Jennifer Peruski, Robin Poyner, John Thornton, Barbara Worley und Gary Van Wyk. Wie immer geht ein spezieller Dank an Rudy.